YMBAPUROLI

Gan yr un awdur

FFUGLEN
Tania'r Tacsi
O! Tyn y Gorchudd
Caersaint

YSGRIFAU
Trysorau Cudd Caernarfon

DRAMA
Nansi

ACADEMAIDD
Rhwng Gwyn a Du
Chwileniwm
Gwrthddiwygwyr Cymreig yr Eidal
Ffarwél i Freiburg

Ymbapuroli

Angharad Price

Argraffiad cyntaf: 2020

Rhif Llyfr Safonol Rhyngwladol:
978-1-84527-780-2

Cyhoeddwyd gyda chymorth Cyngor Llyfrau Cymru

Dyluniad y clawr: Eleri Owen
Llun y clawr: *Hebog a Hofrennydd*, Osi Rhys Osmond
(drwy garedigrwydd Hilary Rhys Osmond)

Gwalch,
Cymru LL26 0EH.

cymru
.cymru

Ighymru

Gair o gyflwyniad

Beth sy'n gyffredin rhwng Jan Morris ac Ann Griffiths, Fienna a Chaergybi, Ngũgĩ wa Thiong'o a Chapel Bethel, y Lôn Glai a phapur tŷ bach? Dim efallai – dim ond fy mod wedi digwydd ysgrifennu amdanyn nhw. A dyna a geir yn y gyfrol hon. Cyfres o ddeuddeg o ysgrifau sy'n manteisio ar benrhyddid y ffurf i ymlwybro i bob math o gyfeiriadau, a chreu cysylltiadau annisgwyl yr un pryd. Er eu bod wedi eu hysgrifennu dros gyfnod o bymtheng mlynedd rhwng 2005 ac eleni, ac er eu bod yn trin a thafod pynciau go amrywiol, mae'n ddigon posib bod ambell ddolen yn eu tynnu ynghyd. Lluniwyd nifer ohonynt mewn ymateb penodol i amserau eu creu, ac yn sicr, mae ein hymwneud â chyfandir Ewrop, a thu hwnt, yn thema gyson. (Nid cyd-ddigwyddiad mohoni, siŵr o fod, i'r gyfrol weld golau dydd yn y flwyddyn y gadawodd Prydain yr Undeb Ewropeaidd.) Elfen arall sy'n brigo i'r wyneb, nid yn annisgwyl efallai, yw pleserau darllen ac ysgrifennu. Dyna pam y penderfynais alw'r casgliad yn *Ymbapuroli,* gair a fenthycwyd o ysgrif T. H. Parry-Williams, 'Nodion dyddiadurol', a gair sy'n talu teyrnged i'n hetifeddiaeth bapurol – ar adeg pan fo'r cyfryngau electronig yn prysur ennill eu lle.

Carwn ddiolch i Nia Roberts a holl staff Gwasg Carreg Gwalch am bob cymorth a chefnogaeth wrth hwylio'r llyfr trwy'r wasg, ac i Gyngor Llyfrau Cymru am eu nawdd ariannol gwerthfawr. Diolchaf hefyd i Hilary Rhys Osmond am gael defnyddio'r darlun *Hebog a Hofrennydd* gan y diweddar Osi Rhys Osmond yn glawr arbennig, ac i Wasg Gomer, *Taliesin* ac *O'r*

Pedwar Gwynt am ganiatâd i atgynhyrchu'r ysgrifau hynny a gyhoeddwyd ganddynt yn wreiddiol.

Cyflwynaf y gyfrol i'm cydweithwyr hoff yn Ysgol y Gymraeg, Prifysgol Bangor, gyda pharch a diolch di-ben-draw.

Angharad Price
Medi 2020

Cynnwys

Mynydd Tynybraich

Tynybraich. Yr un enw sydd i'r mynydd a'r fferm, i'r teulu hefyd, ar lafar gwlad. Bu cyndadau Mam yn ffermio'r mynydd hwn ers cyn cof ac mae'r achau y tu mewn i glawr y Beibl yn mynd yn ôl i'r unfed ganrif ar ddeg, yn geinciau o enwau dynion.

I Dynybraich y deuem ni ar ein gwyliau. Gadael Arfon chwarelyddol a theithio tua'r de, i ardal Dinas Mawddwy, i ddysgu sut beth oedd byw efo mynydd yn hytrach nag yn ei erbyn. Troi trwyn y car oddi ar y briffordd at ffordd fwy cyfrin lle'r oedd blodau'n estyn at y car a chwningod yn gwasgaru o'i flaen. Ar ochr mynydd y Ffridd deuem i olwg cwm Maesglasau. Gyferbyn â ni, ar draws y cwm, byddai mynydd Tynybraich, yn byramid glas, yn codi i'w daldra o lawr cul y cwm, a chraig Maesglasau yn y pellter, ei phistyll yn orwel disgynnol.

Ond nid ar y mynydd yr edrychem. Cymerem y mynydd yn ganiataol. Y tŷ oedd yn bwysig. Y tŷ yng nghesail y mynydd. Y tŷ a roes ei enw i'r mynydd. Cartref ein nain a'n taid, a ninnau'n ysu i gyrraedd. Ond cyn dod at y tŷ rhaid oedd mynd i lawr rhiw y Ffridd, croesi'r nant wrth sied y tyrbein a dringo i fyny rhiw Tynybraich. Gweld dim o'n blaenau ond trwyn y car. Clywed cyfarth y cŵn ar sŵn injan anghyfarwydd a dychryn wrth iddynt gythru am y teiars. Byddai ein nain, Nan fel y galwem hi, yn ein sadio eto, yn sefyll wrth ddrws y tŷ yn barod i'n croesawu, ac oglau cinio'n dod trwy ffenest y gegin.

Adeg yr Ail Ryfel Byd y daeth hi o Gwm Nant yr Eira ar ymweliad â Dinas Mawddwy. Gŵr gweddw oedd Taid ar y pryd, yn tynnu at y deugain ac yn dad i ddau o blant. Ni ddychwelodd Nan i fwynder Maldwyn. Priodwyd Taid a hi, a daeth Nan yn wraig, yn wraig fferm, yn llysfam ac yn ferch-yng-nghyfraith yr un diwrnod. Dechreuodd ei bywyd ar fynydd Tynybraich. Cyn bo hir daeth yn fam i ddau arall.

Yn gynnar wedi eu priodas mynnodd Taid ei bod yn dysgu sut i yrru'r car ar hyd lonydd cul a serth cwm Maesglasau. Roedd disgwyl ac angen iddi fod yn annibynnol. Ar y daith gyntaf, a'r eira'n ffres, gwyrodd y car oddi ar y ffordd a llithro i lawr at ymyl y ceunant. Sythodd Taid y car yn ddisymwth a gorfodi ei wraig ifanc i gwblhau'r daith at y tŷ. Dim ond yn ddiweddarach y diolchodd Nan am ei wers lem. Y car, weddill ei bywyd, fu ei dihangfa rhag y mynydd. Yn y car yr âi i Fachynlleth bob dydd Mercher ac i Ddolgellau bob dydd Gwener. Yn y car yr âi i weld ei chwaer yn Arthog bob nos Sadwrn. Yn y car yr âi i'r pentref i gymdeithasu neu gydymdeimlo. Yn y car yr âi â phrydau bwyd i henoed y fro, a hithau, erbyn y diwedd, flynyddoedd yn hŷn na'i chwsmeriaid.

Yn y car yr oedd Nan ar ei mwyaf annibynnol. Adeg lecsiwn, tynnai boster Plaid Cymru o'i bag llaw a'i roi yn ffenest y car, unwaith yr oedd wedi mynd o olwg mynydd Tynybraich. Gyrrai ar hyd y fro yn genedlaetholwraig bybyr. Ond cyn dod yn ôl i olwg y mynydd plygai'r poster a'i roi o'r neilltu eto. Ni wyddai Taid, ac yntau'n Llafurwr digymrodedd, ddim am ddaliadau gwleidyddol cudd y car. O wybod, byddai wedi dwrdio a dadlau. Nid oedd dim yn well gan Taid nag ymryson, a dim yn waeth gan Nan.

Un wastad ei thymer oedd hi. Ymledai'r gwastadrwydd ohoni, a threfnodd y byd yn wastad o'i chwmpas. Roedd bwrdd ei chegin yn un o wastadeddau bywyd. Bydysawd ar ei wastad: planedau'r platiau a'r soseri, caeadau'r jariau jam a'r *lemon cheese*, y teisennau cri, y *victoria sponge*, tafelli'r gacen fraith a phentwr y bara menyn, a'r llwyau a'r cyllyll yn gloywi'n serog rhyngddynt.

Creai Nan y teisennau bob bore. Taenu'r toes braith yn gyfandir fflat, a'i ffiniau'n ymestyn yn raddol o'r canol hyd tuag at yr ymylon, bron heb inni sylwi, wrth i'r rholbren lithro dan law ysgafn a chadarn Nan. Gwewyr darnio'r toes i ni'r plant, ac wedi'r darnio, gwewyr crasu'r cylchoedd aur a'u staenio'n hyll gan y radell. Ond gwenai Nan a bwrw ati. Roedd bwyd i'w baratoi.

Sawl tafell o fara a dorrodd yn ystod ei hoes, tybed? Sawl cacen a bobodd? Sawl cinio gorchestol a phwdin amheuthun a baratôdd heb ddisgwyl cydnabyddiaeth na'i derbyn chwaith? Diystyr fyddai ystadegau. Nid oedd Nan yn un i gadw cownt.

Gweithiai'n gywrain â'i llaw. Edrychem arni'n gweu, ar symudiad chwim y gweill, a'r ddolen wlân yn llacio a thynhau'n gyson dan reolaeth ei bys. Taflai'r dolenni'n ddifalio oddi ar y weillen; ni sylwai arnynt wrth eu bwrw heibio dan sgwrsio neu chwerthin. Ond adeg *cast-off* a *make-up* byddai tensiwn unffurf y pwythau'n dyst i'w gwastadrwydd. Pwythau gwastad na sylwem arnynt wrth dynnu'r dilledyn yn gynnes amdanom a mynd allan i chwarae.

Trodd ddarnau dros-ben o ddeunyddiau'n wastadeddau eang cwiltiau clytwaith. Gwyliem hi wrthi. Ei hamynedd diderfyn. Tynnu llinell o gwmpas y templed alwminiwm. Torri'r hecsagon a'i dacio wrth hecsagon papur a hwnnw'n llai o faint. Pwytho hecsagon wrth hecsagon a ninnau'n gwylio'r cwilt yn tyfu. Amser yn troi'n ofod. Anwastadrwydd bywyd bob-dydd yn troi'n wastatir patrymog, i'n cadw'n gynnes yn y nos.

Yn fuan wedi cyrraedd Tynybraich, creodd Nan ardd iddi'i hun wrth gefn y tŷ trwy amgáu darn o fynydd Tynybraich â ffens wifrog. Cafodd gymorth y carcharorion rhyfel Eidalaidd i wneud y gwaith, a hwythau'n dangos iddi sut oedd ceibio terasau gwastad o'r llethr, yn unol â'u dull nhw o greu gwinllannoedd gartref. Yno, yn y winllan ddirawnwin ar ochr mynydd Tynybraich, aeth Nan ati i dyfu blodau, yr ardd a'r mynydd yn croesacennu fel y croesacennai enwau Lladin y planhigion a'i hacen Gymreig hi wrth eu dweud nhw.

Ond bras a graeanog oedd y pridd a heb fod yn ffafriol i dyfu blodau nad oedd yn gynhenid. Tueddai'r mynydd yntau i hawlio'i dir yn ôl. O dymor i dymor âi'r terasau'n fwyfwy serth. Eto, daliodd Nan ati, a chreu cornel o baradwys iddi'i hun wrth gefn y tŷ, ac yno y byddai'n byw a bod pan allai, yn picio yno cyn i neb godi ac eto'r hwyr cyn noswylio. Ei gardd ar ochr y mynydd oedd ei balchder.

Yr unig adeg y collai Nan arni'i hun oedd pan dreiddiai defaid trwy'r ffens i'r ardd, gan fwyta'r hyn oedd fwytadwy, sathru'r gweddill a chwalu ffiniau brau'r terasau. Erbyn hel y tresmaswyr yn ôl i'w priod lefydd ni fyddai gardd Nan ond darn diborfa o'r mynydd. Efallai mai hi fu wirionaf yn herio'r mynydd. Ond cyn hir byddai'r blodau'n ôl. Daliai Nan hithau ei thir.

Yn wastad ei cherddediad a gwastad ei sgwrs, roedd ei chymwynasgarwch a'i gofal yr un mor wastad. Treuliodd ei hoes rhwng dau fynydd heb i'r llethrau ddweud arni.

Edrychai arnom yn chwarae o ffenest y tŷ. Gwylio'r mynydd yn dysgu gwers i blant a fagwyd ar rostir, yn tynnu ei hun oddi tanom a ninnau'n hedfan trwy wagle yn lle glanio'n syth fel y disgwyliem. Troeon tin-dros-ben, ac ysgall, gwlân a baw defaid yn cydio yn ein dillad wrth inni syrthio a rowlio drosodd a throsodd. Ond yn y tŷ, efo Nan, caem ein traed danom eto. Mor braf oedd llonyddwch yr aelwyd. Syllu i'r tân. Menyn yn meddalu mewn dysgl wydr. Sŵn Nan yn gosod y bwrdd.

Deuai Taid i mewn yn oer o'r tu allan a sigarét Players ar fin darfod rhwng ei fys a'i fawd. Clywem wich ei anadl wrth iddo nesáu at y gegin. A dyna pryd y tawelai ein parablu. Rhwng cipiadau o anadl, wrth y bwrdd, gwrandawem arno'n sôn am y mynydd: am y gwastatir ar y topiau, y llwyni llus a'r pyllau mawn llawn dŵr, yr ehedydd a'r gwalch glas. O dopiau'r mynydd, meddai Taid, edrychai Bwlch yr Oerddrws, ymhell oddi tanoch, yn debyg i lwybr gwastad. A phan godech eich golygon nid oedd dim ond mynyddoedd yn y byd: Waun Oer, Foel y Ffridd, Foel Bendin, y Glasgwm, Aran Fawddwy, Aran Benllyn, Cader Idris... Gwyddai Taid eu henwau i gyd.

Soniai weithiau am ofergoelion ac roedd 'na eirfa ddieithr: 'gwylliaid', 'plu'r gweunydd', 'mawnog', 'sarn'. Daeth â thystiolaeth inni fwy nag unwaith o hud yr uwchfyd hwn: sbrigyn o rug gwyn, a'r blodyn hynod hwnnw a lyncai bryf. O barch, ni allem beidio â'i gredu; ac eto, ni allem ei gredu'n llwyr. Roedd naws chwedloniaeth i destament Taid, ac yntau ei hun ychydig yn ddieithr i ni. Edrychem ninnau arno fel yr edrychem tua chopa mynydd Tynybraich, ar ogwydd ac o bell. Ac fel gyda'r mynydd, mynnem ei sylw a'i ofni hefyd. Llethrau serth ei bersonoliaeth: ei agweddau pendant, a'r chwerthin ar wiriondeb dyn.

Wedi gorffen swper cydiai'n ei sbectol un-goes ac ymgilio i'r parlwr i blygu pen dros lyfr: llyfrau hanes a gwleidyddiaeth, a'i orwelion mor eang â phetai wedi byw ar hyd ei oes ar ben mynydd. Ni ddeallem bryd hynny faint ei ofal dyddiol dros ei braidd, ac ni sylweddolem iddo dreulio oes hir yn esgyn i'r mynydd trwy'r pedwar tymor, yn parhau â gwaith ei gyndadau. Esgyn yn y gwanwyn i gyfri'r ŵyn newydd-anedig, gan warchod y gweiniaid rhag brain a llwynogod. Weithiau, pan ddeuai oerfel hwyr a'r eirlaw o'r mynydd yn bygwth sigo'r ŵyn gwantan, dringai'r ffriddoedd trwy fflangell y glaw a dychwelyd ag oen ym mhoced ei gôt, un llaith a llithrig a'i ben yn ordrwm. Gosod yr oen bach ar yr aelwyd mewn bocs wedi'i leinio â phapur newydd a'i fwydo'n dyner â llaeth trwy deth rwber, a Nan yn gwylio o bell fywyd yn y fantol, a hwnnw'n baeddu carreg yr aelwyd. Yn y gwanwyn hefyd y byddai'r bylb a hongiai o ganol nenfwd y gegin yn pylu'n sydyn. Gwaith Taid eto oedd dringo at y gronfa ddŵr ar ochr y mynydd i gael gwared ar y grifft llyffant a rwystrai lif y dŵr trwy'r ffos serth i lawr at y tyrbein trydan. Symud y grifft yn ddyrneidiau o'r ffordd cyn rhoi un dyrnaid mewn jar a dychwelyd at y tŷ a'r trysor tryloyw'n ei law – a wynebau'r plant yn goleuo, yn union fel y goleuai'r bylb o'r newydd.

Ddechrau'r haf, adeg diddyfnu, gwaith Taid oedd gyrru'r ŵyn gwryw tuag i lawr a'r mamogiaid tuag i fyny at y mynydd. Am ddyddiau wedi'r gwahanu brefai'r mamogiaid am eu hepil gan wasgu eu cyrff yn erbyn bariau haearn llidiart y mynydd. Taid hefyd a arweiniai'r gwaith o gasglu'r defaid adegau dipio, cneifio a thocio, gan gymell ei gŵn call i'w hel hyd yn oed o'r ceunentydd. Casglu holl ehangder y mynydd a'i wasgu trwy ddwy lath a hanner y llidiart er mwyn ei gynnwys ar fuarth y fferm. Sŵn seindorf frefus y corlannau llawn ar ddiwedd y dydd, a Taid a'i gymdogion yn cael ymlacio o'r diwedd o gwmpas y bwrdd bwyd yn y tŷ, tra gwrandawai Nan arnynt yn tynnu coes a hel straeon, a hithau'n ail-lenwi'r platiau neu'r dysglau pwdin.

Yn yr hydref a'r gaeaf, daliai'r mynydd i alw arno. Roedd y rhedyn coch angen ei dorri, yn wely i'r anifeiliaid dros y gaeaf. A phan ddôi hwnnw, y mynydd oedd meistr caled Taid. A'r tywydd ar ei fwyaf garw, rhaid oedd esgyn y llethrau eto i chwilio am y defaid a oedd ar goll dan yr eira. Gollwng ffon gollen trwy'r trwch gwyn gan wybod o hir brofiad ymhle yr aent i ymochel. Pryder a gobaith pob proc, nes taro ar feddalwch anifail a thyrchu wedyn trwy'r lluwchfeydd nes cyrraedd y ddafad oedd i'w rhyddhau. Codi oddi ar ei liniau i'w gwylio'n rhedeg i ffwrdd, a'r talpiau eira hyd ei gwlân yn disgleirio yng nglesni'r bore bach. Nid lle bugail oedd disgwyl diolch.

Oriau'n ddiweddarach dychwelai Taid at y tŷ a llosg eira'n cloffi ei gam, a chodai'r gollyngdod fel tarth oddi ar wyneb Nan wrth iddi osod powlenaid o botes chwilboeth gerbron ei gŵr.

Ni wyddem ni am y gofal dyddiol, diddiwedd hwn y mynnodd y mynydd ei gael gan Taid. Roedd wedi rhyw hanner ymddeol erbyn ein dyfodiad ni, a brawd Mam yn ysgwyddo'r baich. Ac ni wyddem ond ychydig am hanes Taid, am eni tri o'i frodyr yn ddall a'u hanfon i ysgol breswyl yn Worcester, am farw dau frawd arall iddo, ynghyd â chwaer, ei unig chwaer. Ni ddeallem mai dim ond Taid oedd ar ôl i ffermio'r mynydd fel y gwnaeth ei gyndadau erioed. Yn un ar ddeg fe'i tynnwyd yn groes i'w ewyllys allan o'r ysgol i ddechrau gyrfa oes yn Nhynybraich. Yn un ar ddeg oed gallodd faddau i'r mynydd.

Disgyrchiant a'i wers lem. Ceisiodd mynydd Tynybraich feddiannu ei fywyd, ei addysg, ei freuddwyd am fynd yn feddyg. Ond daeth Taid i gyfaddawd ag o. Dysgodd sut i rannu ei fywyd rhwng y mynydd a chymdeithas ei gyd-ddyn. Bu'n gynghorydd sir am ddegawdau, yn aelod blaenllaw o Undeb Cenedlaethol yr Amaethwyr a hynny'n ei alluogi i deithio ymhell oddi wrth y mynydd i gynadledda yn Llundain a Brwsel. Er mai ffermwr anfoddog ydoedd, torrodd ei enw yn yr achau y tu mewn i glawr Beibl y teulu, gan dderbyn enw'r mynydd. Wedi eu priodas, rhannodd Nan yr enw hwnnw: Tynybraich, cyfamod mynydd a thŷ.

* * *

Cofiaf ddringo mynydd Tynybraich unwaith. Roedd Taid wedi ei gladdu ers blynyddoedd, Nan ers misoedd yn unig. Ar y gwastatir ar y topiau gwelwn destament Taid o flaen fy llygaid: y llwyni llus, y pyllau dŵr tywyll, yr ehedydd a'r gwalch glas, llwybr gwastad Bwlch yr Oerddrws, y mynyddoedd o gylch, *gwylliaid, plu'r gweunydd, mawnog, sarn,* a'r copaon na wyddwn mo'u henwau...

Nid oedais yn hir yno. Nid lle i oedi ynddo yw copa. Neu efallai i mi ofni y tynnai'r mynydd ei hun oddi tanof, ac y byddwn unwaith eto'n hedfan trwy wagle yn lle glanio. Beth bynnag, roedd rhaid i mi fynd; ffarwelio â'm modryb a'm hewythr a throi cefn ar Dynybraich gan droi trwyn y car tua'r de wrth gyrraedd y briffordd, tua Chaerdydd lle'r oedd gwaith yn galw.

Brysio i lawr trwy'r ysgall a'r gwlân a'r baw defaid. Troeon tin-dros-ben yn y meddwl. Nes dod i olwg y tŷ. Ac wrth nesáu, arafu, fel y gwnaeth Taid ei hun ar hyd ei fywyd, gan adael i ddisgyrchiant y tŷ fy nhynnu ato. Yn fy mhen, sŵn Nan yn gosod y bwrdd.

Ac wrth edrych ar y tŷ o ochr mynydd Tynybraich, cofiaf sefyll yn stond a rhyfeddu at gulni'r sil lle safai, a serthni'r dibyn oddi tano. A gweld, fel y gwelodd Taid, y gwastadeddau'n ymledu ohono ac yn llenwi'r cwm.

Ymbapuroli

'Mi ddychmygais am ennyd fy mod yn syllu ar y blynyddoedd cofnodedig wedi ymgnawdoli neu ymbapuroli, a'm bod i'n gweled gwyrth, sef canfod Amser ei hun yn ymddirweddu'n dafellau sicr solet yn flwyddyn a blwyddyn dan fy llygaid.'

T. H. Parry-Williams, 'Nodion dyddiadurol'

Gwagio fy nesg roeddwn i. Roedd blwyddyn, bron, wedi pasio ers i'm tad farw, a rhyw bres wedi dod trwodd. Prynais ddesg newydd, ond nid i gofio amdano. Doedd dim angen hynny. Prynais ddesg, yn hytrach, i gael rhywbeth corfforol i gyffwrdd ynddo, i bwyso arno wrth wneud fy ngwaith bob dydd. Wedi'r cyfan, roedd hwnnw yr un un â gwaith fy nhad. Darllen ac ysgrifennu. Atgyfodi geiriau oddi ar bapur, a'u rhoi yn ôl i orwedd wedyn.

Bore Sul oedd hi, ac roedd Patrick a'r plant wedi cael eu hel o'r tŷ i dreulio *quality time* efo'i gilydd cyn dechrau wythnos waith. Ac roedd gen i waith dal i fyny. Ond a minnau rhwng dau lyfr, roeddwn yn rhy lesg i wneud gwaith pen na gwaith tŷ. Ildiais, yn hytrach, i un o'r hyrddiau sydyn hynny a ddôi pan gawn ddwyawr neu dair o lonydd, sef yr ysfa seithug i drio cael trefn.

Felly, dyma droi at yr hen ddesg yn fy stydi ar lawr uchaf y tŷ. Roedd y ddesg newydd yn cyrraedd drannoeth.

Roedd gwerth blynyddoedd o bapur wedi hel ynddi. Ond cyn bo hir roedd hanes y saith mlynedd diwethaf – yn enedigaethau, yn farwolaethau, yn fudo – yn chwalfa bapur hyd lawr fy stydi, a minnau ar fy ngliniau yn hurt yn ei ganol. Talebau, biliau, tystysgrifau, gweithredoedd, lluniau a thoriadau papur, llythyrau a chardiau llongyfarch a chydymdeimlo, drafftiau seithug o sgwennu, dyddiaduron hyd yn oed... ynghyd â phob math o fân bapurau yr oeddwn, am ba reswm bynnag, wedi dewis rhoi ffluch iddynt i un o ddroriau'r ddesg.

Ni chymerodd y gwagio'n hir. Ymhen rhyw ddeng munud roedd yr hen fiwrô bîn yn wag, a golwg wedi hurtio arni hithau, a'i droriau yn gegagored, fel petai'n rhyfeddu at y greadigaeth bapurol y bu'n ei fagu ynddi ei hun cyhyd, ac yr esgorodd arno mor ddirybudd.

Am funud euog, prin y gallwn sbïo arni. Doedd hi ddim yr un un wedi'r ymwacáu. Bron nad oedd golwg galaru arni. Nid heb bang o gydwybod yr oeddwn wedi prynu'r ddesg dderw, fodern, luniaidd a ddôi yn ei lle. Oherwydd gwyddwn fy mod wedi *iwsio* hon. Wedi pwyso arni am flynyddoedd. Onid oedd creithiau ysgrifennu sawl llyfr i'w gweld arni? Blaen pensil neu feiro wedi'i ddwysbwyso mewn rhwystredigaeth neu wylltineb. Staeniau coffi a staeniau inc wedi treiddio'n ddwfn i raen y pren. Dwrn wedi disgyn am fod y drôr wedi ei gorlwytho â drafftiau gwrthodedig...

Cysurais fy hun wedyn. O leiaf mi gâi'r fiwrô fynd i lawr y grisiau at iws y plant. A phwy a ŵyr na fydden nhw'n gweithio arni ryw ddydd, yn pwyso arni wrth wneud eu gwaith ysgol. Ac yn y cyfamser, fyddai hi ddim yn segur. Câi'r droriau eu llenwi eto, hyd yn oed os oedd hynny â theganau na ffefrid mwyach a dillad wedi mynd yn rhy fach.

Na, doedd dim amser i synfyfyrio y bore Sul hwnnw. Roedd gennyf waith i'w wneud ac angen bwrw iddi tra oedd amser yn caniatáu. Roedd y nod yn glir: rhes o fwndelau taclus. A bwndel arall i'w daflu i'r blwch ailgylchu. Mater o fodio pob papuryn oedd hi, darllen drosto, pwyso a mesur ei gynnwys a'i werth a phennu i ble y perthynai. O fynd ati'n faterol a difater, gallwn orffen y job cyn i'r plant ddod yn ôl.

Ond pethau tyniadol ydi geiriau ar bapur, yn enwedig geiriau anwyliaid yn eu llaw nhw eu hunain. Cyn bo hir roeddwn wedi ildio eto. Wedi dechrau darllen. Ac o ddarllen, wedi dechrau gorfoleddu – a galaru yr un pryd.

Roedd yno lythyrau gan ffrindiau ysgol a choleg wedi eu hysgrifennu ar bapur nodiadau darlith, fel arfer, a'r rheiny (fel y darlithoedd eu hunain, os cofiaf yn iawn), yn llawn sgandals ac achwynion a ffansïon. Roedd hyn cyn dyddiau e-bost, er i'r cyfrwng amhapurol hwnnw ein cyrraedd yn fuan wedi inni adael y coleg.

Roedd yno gardiau cyfarch teuluol. Cardiau post dirifedi gan Olwen, fy nain, wedi eu hanfon o'i thripiau undydd gyda Merched y Wawr, a'r rheiny, fel arfer, yn sôn am dywydd cyfnewidiol, er bod hindda ar flaen pob cerdyn, ac yn tywynnu'n gryfach byth o'r llawysgrifen ar y cefn.

Roedd yno lythyrau gan fy nain arall, Kitty, yn ei llawysgrifen osgeiddig a'r geiriau'n fwy brwd a'r teimladau'n fwy pwysleisiol. Felly'r oedd hi wedi arfer ysgrifennu, a hithau wedi byw rhan fwyaf ei bywyd priodasol trwy lythyrau, am fod ei gŵr ar y môr. Byddai i ffwrdd weithiau am ddwy flynedd ar y tro.

Roedd yno gardiau pen-blwydd dirifedi, a'r jôcs yn amlhau wrth i'r blynyddoedd basio. Ambell lythyr serch, er mai prinhau a wnaeth y rheiny wrth i'r blynyddoedd fynd yn eu blaen, ac roedd nifer helaeth o lythyrau a chardiau gan Patrick, gwerth pymtheng mlynedd ohonynt, ond bod y mwyafrif llethol yn perthyn i'r pumawd cyntaf. Ddarllenais i ddim trwyddynt. Doedd dim amser i hynny (does 'na byth). Dim ond rhyfeddu at y swmp, bod gennym gymaint i'w ddweud wrth ein gilydd bryd hynny, cyn dyddiau rhannu tŷ (heb sôn am rannu plant bach). Tafell o'n bywyd wedi ymbapuroli: ein bywyd cyn dyddiau'r diffyg cwsg a'r taflu gorchmynion, a chyn i dewi ddod yn beth doeth.

Mwy niferus na dim oedd y dwsinau llythyrau gan Mam wedi imi adael cartref a mynd i'r coleg. O ganol ei phrysurdeb – yn wraig, yn fam, yn bennaeth adran mewn ysgol fawr – daliodd i daro gair ar bapur (taflenni A4, yn aml, ac ymarferion Cymraeg i blant Bangor ar eu cefnau), gan herio amser ei hun â'u cysondeb, er mai digon anghyson oedd y cyfeiriadau ar yr amlenni: Lloegr, yr Almaen, Awstria, Caerdydd... At ba gyfeiriad bynnag, daliodd Mam ati i ysgrifennu. Pytiau o newyddion. Hanes yr hogia. Darnau o fywyd Bethel a'r Dre. Nes i mi ddŵad adref yn ôl. Dŵad adref gorff yn ogystal ag enaid. Dŵad adref i gael help Mam i fagu'r plant. A ninnau'n gwybod erbyn hynny bod Dad yn wael.

A Dad ei hun? Prinnach oedd y darnau papur ac arnynt ei lawysgrifen o, er mai sgwennwr oedd o wrth ei waith bob dydd. Brawddeg neu ddwy ar waelod llythyr Mam weithiau, tair llythyren ('Dad') ar gerdyn pen-blwydd, neu ar adegau eraill bwt neu ddau ar bapur HTV wedi ei anfon ataf i'r coleg, gyda siec ddiwarafun i dalu am fy llety yno. Doedd o ddim yn ddyn mân-siarad; nid ar bapur, beth bynnag. Ar lafar yr oedd storïau i'w hadrodd, ac ar lafar, gyda'i hoffter o ormodiaith, y byddai, yn rêl newyddiadurwr, yn troi storïau da yn storïau gwell. Hanes, nid hanesion, a berthynai ar bapur. Roedd ysgrifennu'n fater difrif. A rhywsut, adlewyrchid y difrifwch hwnnw yn ei lawysgrifen gymen, drefnus – o gofio bod Dad, yn gorfforol, yn ddyn mor flêr.

Byddai staeniau du parhaus ar ei fysedd lle gwasgai'r baco i'w getyn ac roedd olion y baco ar ambell un o'i lythyrau, yn drywyddau llwyd-ddu ar ymyl y ddalen (fel y byddent weithiau ar ddodrefn a waliau'r tŷ, a Mam yn dwrdio); olion diferion coffi ac ambell leuad goch fain, wedi i'w win orlifo dan waelod ei wydr. Wrth fodio'r darnau papur hynny, roedd yr olion yn cyfrif gymaint â'r geiriau cryno, yn rhoi peth o gymeriad corff i'r papur.

Er i mi glywed ei fod yn llythyrwr da wrth gyfarch neu gydymdeimlo (onid oedd ganddo ei brofiadau ei hun?), doedd llythyrau tadol ddim yn dod yn naturiol iddo. Doedd hynny ddim yn syndod, efallai, a'i dad ei hun i ffwrdd gymaint. Ni welais y llythyrau a anfonodd fy nhaid at ei wraig a'i blant yn ystod blynyddoedd plentyndod a llencyndod fy nhad. Ond mae'r hen lyfr stampiau, un o'r trysorau papur eraill a gadwn yn fy nesg, yn dyst i'w lluosogrwydd.

Cawn fy nhynnu at y *Stanley Gibbons Postage Stamp Album* dro ar ôl tro, ac fe'm tynnwyd ato eto wrth wagio'r ddesg y Sul hwnnw. Roedd iddo ryw atyniad di-ben-draw. Llun llong hwyliau oedd ar y clawr, ac roedd arysgrif y tu mewn yn dweud i'm tad ei ennill am gael marc o 93% mewn arholiad Maes Llafur yr Ysgol Sul ym 1957. Rhyw hanner llawn oedd o: stampiau'n llenwi rhai dalennau; dalennau eraill yn wag. Hawdd oedd gweld pa wledydd y dociai fy nhaid ynddynt: Brasil, Ceylon, Tsieina, Colombia, Denmarc, yr Aifft, Haiti, Hong Kong, India, Mecsico, Portiwgal a'r Philippines... Roedd hud yn yr enwau, i mi beth bynnag, ond efallai mai enwau carchar oedden nhw i'm tad; enwau a gadwai ei dad rhag dŵad adref. Soniodd, ond nid yn aml chwaith, fel y casâi'r siwrnai drên yn ôl i Bwllheli ar ôl bod yn ffarwelio â'i dad yn y dociau yn Lerpwl, a'i hiraeth ei hun yn cael ei fygu – dro ar ôl tro – gan y rheidrwydd i gysuro'i fam. Fy nhad, yn wyth, yn ddeg, yn ddeuddeg oed, oedd dyn y teulu, a chanddo chwaer, mam a nain, ynghyd â thwr o hen fodrybedd, i'w cysuro am nad oedd y tad go-iawn yno. Gwingo yn y rôl ormesol honno a wnaeth ar hyd ei fywyd.

Wrth fyseddu trwy'r albwm stampiau, cofiais fel y bu'n rhaid i Dad yntau ymbapuroli yn ein bywydau ni'r plant unwaith, er mai cyfnod byr ydoedd. Ym 1979 treuliodd flwyddyn yn fyfyriwr aeddfed yn y London School of Economics, dan bwysau i ailgymhwyso gyda gradd Meistr mewn Economeg, am nad oedd dysgu Hanes ar ei ben ei hun yn ddigon, ym marn ei gyflogwyr. Saith, pump a thair oed oeddem ni ar y pryd, a Mam ym Methel yn ein magu ni ei hun. Mae'n glod iddi hi ac i'r gymuned yr oeddem yn byw ynddi na chollem ein tad ond pan atgoffid ni nad oedd o yno.

Ond cofiaf hefyd mai uchafbwynt yr wythnos oedd dyfodiad cerdyn post o brifddinas Lloegr, a hwnnw wedi ei gyfeirio atom ni'n tri. Roedd rhyw atyniad yn y golygfeydd Llundeinig lliwgar ar ei flaen, yn sicr, ond roedd y lle mor bell ac mor estron, prin y credem y lluniau. Geiriau Dad ar y cefn oedd yn bwysig, ac yntau wedi symleiddio ei lawysgrifen (fân, gymhleth, fel arfer), er mwyn i mi allu darllen y geiriau'n uchel ac yn bwysleisiol i'm brodyr. A thra y parhawn i daflu llais fy nhad, mi wrandawai'r ddau fach arnaf.

Yr un oedd y cyfarchion bob tro, geiriau syml ac ailadroddus y caem gysur ohonynt: mor brysur oedd Llundain a bod Dad yn ein colli. Ymfalchïem ninnau, nid yn y cofio atom yn gymaint â'r cofio amdanom. Yn wir, yn ystod munud y darllen roedd Dad yn ôl yn ein tŷ ym Methel, yn codi oddi ar y papur, yn ymgorfholi o'i eiriau ei hun. Ymrithiai o flaen ein llygaid i'w lawn daldra a'i led, a'i lais mawr yn llenwi'r lle. Yna, wrth i'r pedair croes ar waelod y cerdyn fethu cario'r cusanau, diflannai eto a dôi rhyw siom oer yn ei le, a ninnau'n teimlo bod y cerdyn post wedi'n twyllo: wedi addo Dad, ond dim ond hanner ei roi. Beth oedd darn papur petryal o'i gymharu â chorff mawr, blêr ein tad? Ei fraich fawr amdanom? Ei ên bigog ar ein boch, ac oglau baco ar ei gnawd? Heb sôn am ei dwrw mawr, a'i rwdlan a'i rigymu gwirion pan oedd mewn hwyl.

Megis yn stampiau fy nhaid yn albwm fy nhad, roedd rhyw orfoledd a galar yn yr ymbapuroli. Ac am funud, cyn dychwelyd i chwarae, wrth i Mam osod y cerdyn efo'r lleill ar wal y gegin, byddai colli Dad yn ein llorio.

Nid oedd y cardiau post Llundeinig ymhlith papurau fy nesg y bore Sul hwnnw, a da o beth. Byddai hynny wedi bod yn ormod. Byddai wedi gwneud i mi roi'r gorau i'r clirio yn gyfan gwbl. Roedd gwagio'r ddesg eisoes wedi dechrau creu anhrefn y tu mewn i mi, a Dad ar fy meddwl o hyd. Rhaid bod y cof am yr ymbapuroli gynt wedi gwneud argraff ddofn arnaf. Oherwydd, sylweddolais, o golli Dad yn derfynol, at bapur y trois i gau'r bwlch. At y llyfrau a ysgrifennodd ynghanol prysurdeb gwaith teledu, neu wedi cyfnodau blin o salwch dwys. Y llyfrau rhugl, hawdd eu darllen, er gwaethaf amgylchiadau eu hysgrifennu. Haws o lawer eu darllen na Dad ei hun…

Safent – safant – yn rhesaid ar y silff isaf yn fy stydi, a'm llyfrau fy hun yn pwyso yn eu herbyn. Roedd yna gysur mawr yn yr agosrwydd. Ac atyn nhw y trois yn ystod yr wythnosau ar ôl ei golli, gan deimlo mor gignoeth â phetai darn o'm corff fy hun wedi ei rwygo i ffwrdd.

Roeddwn wedi ceisio dal gafael arno trwy luniau. Ond fel y golygfeydd o Lundain gynt nad oedd byth cweit yn real, roedd rhywbeth pell yn Dad ein ffotograffau, rhyw absenoldeb yn ei lygaid, hyd yn oed yn y lluniau ohono'n fachgen.

I'r gwrthwyneb, yn y llyfrau roedd o yno i gyd. Yn ei hunangofiant, i raddau, wrth sôn am Bwllheli ei febyd, yn ei falchder wrth ddweud bod ei daid wedi sefydlu'r ILP yn y dref, neu wrth gofio'i gyfnod hapus yn chwarae criced a phêl-droed pan oedd yn yr ysgol. Ond yn bennaf yn ei lyfrau ar hanes Cymru, a hanes cynnar Lloyd George, diddordeb mawr ei fywyd. Wrth ddarllen ei lyfrau, byddai Dad efo mi o hyd. Codai ei lais na-allai-sibrwd oddi ar y dalennau, yn datgan y farn a oedd weithiau mor graff, ac weithiau'n gythraul i gyd (ac weithiau y ddau yr un pryd, a hynny'n fy nghynddeiriogi). Wrth fodio'r dalennau, roedd ei eiriau ysgrifenedig yn ymgorffoli a'i ddweud dadleugar yn llenwi'r ystafell â thwrw mawr ac â phersonoliaeth. Roedd y darllen yn gysur, yn gysylltiad.

Nes dôi amser i'm trechu. Galwadau o waelod y tŷ. Y floedd gyfarwydd: 'Mam!' A diolch byth amdani, er na theimlwn hynny bob tro a minnau angen llonydd i alaru. Y plant yn hawlio'u sylw, a minnau'n gorfod cau clawr llyfr fy nhad a gweld ei enw wedi'i naddu arno fel beddargraff. Ei lais yn tewi ar amrantiad. Yr ystafell yn ymwacáu o'i gorff.

Ond o daro cip ar y silff ddydd ar ôl dydd, roedd y llyfrau'n dal yn gysur. Oherwydd, yn groes i garreg fedd, hawdd oedd agor y clawr papur a gadael i eiriau Dad atgyfodi – dro ar ôl tro. Byddai llais fy nhad yn para tra parhâi ei eiriau ysgrifenedig ar bapur.

Mewn ffordd lai poenus, gadael i eiriau ymgorffoli yr oeddwn yn ei wneud wrth ddarllen y darnau papur yn fy nesg, a hynny a lesteiriai'r gwaith o gael trefn y bore Sul hwnnw. Ond sut y gallwn beidio a minnau'n gwneud yr un peth wrth fy ngwaith bob dydd? Darllen oedd teimlo profiadau a phersonoliaethau'n cael eu dadeni. Dychmygu cymeriadau'n dod yn fyw nes eu bod yn dod yn fodau cwbl real, a minnau'n grediniol, er enghraifft, bod Konstantin Levin yn nofel Tolstoy yn dipyn o fêt, bod angen i mi gadw Raskolnikov, prif gymeriad *Trosedd a Chosb*, o hyd braich, bod Josef K, un o greadigaethau Kafka, yn byw y tu cefn i lenni caeedig y tŷ drws nesa, a bod Dorothea Brooke *Middlemarch* a minnau wedi mynd i'r un ysgol. Yn yr un modd, roedd yr awduron eu hunain yn ymbapuroli a dod yn rhan o brofiad byw. Oni welwn T. H. Parry-Williams weithiau'n codi llaw arnaf ar draws y stryd? Oni fynnai Kate Roberts fy mod yn gwneud neges iddi weithiau? (Hynny o ddiolch oedd i'w gael.) Tra cymerai Virginia Woolf arni na fyddai'n fy nabod...

Nid cyrff o gig-a-gwaed mo'r creadigaethau ymbapurol hyn. Roedden nhw'n wahanol i'w cymheiriaid biolegol, yn gallu tynnu'n groes i'r rheiny (doedd Tolstoy, yr awdur dyngarol, mo'r hawsa'n fyw, a hen sopan oedd Virginia deimladwy, medden nhw). Ond teimlwn yn gryf, wedi blynyddoedd o ddarllen ac ysgrifennu, fod yna berthynas gref a hanfodol rhwng y papur a'r corff, rhwng yr awdur yn y cnawd a'r awdur ar bapur, a bod gwaed ac inc yn cydlifo. Wrth ddarllen cofiannau neu hunangofiannau'r awduron hyn, teimlwn ryw ysfa'n cael ei bodloni, a honno o'r un natur â'r ysfa gorfforol i gyffwrdd â chrair. Neu hyd yn oed i gyffwrdd – a dim mwy.

Ildiais i'r ysfa honno yn fuan wedi marwolaeth fy nhad, wrth ganfod fy hun yn rhwbio ac yn rhwbio'r print ar ddalen un o'i lyfrau, yn ysu am weld yr inc yn staenio fy mawd, yn brawf bod geiriau'n gallu atgyfodi. A hurtio wrth weld cnawd fy llaw yn dal yn wyn. Cofio'n sydyn am law wen fy nhad yn yr ysbyty. Y staeniau cetyn a baco wedi hen fynd, heb sôn y staeniau inc. Ei law yn fy llaw i, mor wyn â phapur gwag. Ac yn gwynhau.

Roedd amser yn mynd, y gwaith o geisio cael trefn yn dechrau fy nhrechu, ac yn ddistaw bach, crefwn am ddychweliad y plant. Ymhlith y papurau, yn swp wrth fy mhenelin chwith, roedd pentwr o gardiau a anfonwyd ataf adeg eu geni. Ymestynnais am y rheiny, gan ryw hanner gobeithio y byddai cyffwrdd y babis glas a phinc yn hudo'r plant yn ôl adref.

Darllen: *Llongyfarchiadau! I'r rhieni hapus!* Ac ar amrantiad, dyna gofio gydag ias yr adeg y bu'n rhaid i minnau ymbapuroli, er mwyn profi i mi fy hun fy mod yn fyw.

Awr – dwyawr? roedd amser wedi peidio â bod yn nhragwyddoldeb y geni – ar ôl esgor ar fy mhlentyn cyntaf, a'm corff yn teimlo fel petai wedi'i rwygo'n chwilfriw, ac wedi'i newid ei siâp am y canfed tro mewn naw mis, fy meddwl ar chwâl gan flinder a phoen, a finnau mewn un ennyd wedi troi o fod yn ferch i fod yn fam, y cwbl y gallwn ei wneud oedd estyn am ddarn o bapur a beiro o'm bag. A chorff perffaith fy mab yn llenwi fy llygaid ac yn fy mrawychu, cofiaf ddechrau ysgrifennu, dim ond i weld a oeddwn i'n dal i fod. I weld ai fi oeddwn i o hyd.

Bu'r beiro a'r papur yn gysur am fisoedd, blynyddoedd wedyn, pan oedd galwadau corfforol y babanod bron â'm llethu. Wedi darfod y cyfnod anoddaf hwnnw, daeth tyniad y papur a thyniad y plant yn rhywbeth y ceisiais ddysgu byw yn ei ganol, ymgodymu'n greadigol ag o, ceisio ffynnu arno. Ac er mor seithug yr ymgais honno'n aml, a'r naill beth yn bythol darfu ar y llall, ac amser yn bythol lithro, diolchwn am y croestynnu. Yn wir, roedd dianc rhag y naill beth at y llall weithiau'n gysur: o gwynfan y plant ar ddiwrnod di-hwyl at drefnusrwydd geiriau ar bapur; ac o dawelwch llethol y papur gwag at gyrff cynnes ac aflonydd y plant.

Ar fy nhraws y daethant eto y bore hwnnw. Roedd y ddau fach a'u tad wedi dŵad adref. Doedd dwyawr ar ddydd Sul ddim yn ddigon i ddarllen hanes blynyddoedd.

Gwrandewais ar eu galwad yn diasbedain o waelod y tŷ. 'Mam!' Ac yna'r cyrff yn canlyn y floedd. Curiad traed ar y grisiau.

Atgyfodais o ganol y bwndelau blêr gan deimlo gollyngdod, nid rhwystredigaeth. Roedd trio cael trefn wedi mynd yn drech, a minnau wedi dechrau teimlo fel petawn yn trefnu f'angladd fy hun. Cefnais ar yr hen ddesg a throi i groesawu fy mhlant wrth iddynt daflu eu cyrff tuag ataf, eu traed yn lluwchio'r papur trwy'r stydi a nhwthau'n fusnes i gyd, yn bodio'r llyfrau ar fy silffoedd...

'Llyfr Taid ydi hwn, ynde?'

Yn rhoi fy mraich amdanynt, yn cael hanes eu bore. Yna, wedi iddynt ddiflasu ar gwmni eu mam a gwneud eu ffordd at eu llofftydd eu hunain, cael help Patrick i gario'r hen fiwrô i lawr y grisiau fel y gallai wneud lle i'w gwell.

Drannoeth, pan fyddai Patrick wedi mynd i ffwrdd am wythnos arall o waith, a'r plant yn yr ysgol, a'r ddesg dderw, fodern, luniaidd wedi cyrraedd, mi ddechreuwn ysgrifennu llyfr newydd. Cyn dechrau, mi gyffyrddwn â'r ddesg newydd a phwyso fy nghorff arni i'w phrofi. A llenwi ei droriau gwag â'm llanast papur, a hwnnw ar ryw hanner ei drefnu.

Caergybi 2017

Bob blwyddyn, mae dwy filiwn o deithwyr yn mynd trwy Gaergybi, porthladd fferi prysuraf-ond-un y Deyrnas Unedig sydd nid yn unig yn ddolen gyswllt hollbwysig rhwng Prydain ac Iwerddon, ond hefyd yn rhan allweddol o briffordd fawr Ewropeaidd yr E22 sy'n ymestyn o Ddulyn i Mosgo a thu hwnt. Mae 'na rywbeth am yr arwydd mawr Cymraeg a Saesneg, *Porthladd Caergybi / Port of Holyhead,* sy'n cynhyrfu'r gwaed. Ar ôl croesi gwastadeddau Môn hyd lyfnder yr A55, a gweld yr enwau cyhyrog yn ymganghennu oddi arni – Llanfairpwllgwyngyll, Pentre Berw, Aberffraw, Gwalchmai, Rhosneigr – mae berw rhyngwladol y porthladd yn syndod, ac yn mynd â'ch gwynt. Pob lorri o wlad wahanol. Babel o blatiau rhif. Sloganau amlieithog yn blith-draphlith (amrywiadau pan-Ewropeaidd ar 'logistic' a 'transport' fel arfer). Ciwiau cynyddol y ceir, a'r *pick-ups* wedi'u pacio. Ac ar wasgar ym mhob man, logo emrallt Irish Ferries ac un gwyn, syberach Stena. A'r eirfa neilltuol: *Customs, Foot passengers, Freight...*

Flina' i byth ar y wefr o ddod yma. Mae'n fwy nag antur y fordaith, ac yn fwy na'r awydd i gyrraedd Iwerddon (er mor gryf y gall honno fod). Mae yma antur, addewid ac arswyd, fel ymhob porthladd. Ond gwefr dod i Gaergybi'n benodol ydi cael gweld o flaen eich llygaid Gymru'n ymgysylltu â'r byd. Er bod y dref ar ein cyrion eithaf, mae'n ganolbwynt o fath inni hefyd. Dyma borth y Gymru Gymraeg i briffyrdd morol y byd. Ac o holl olygfeydd godidog Môn, does dim sy'n fwy cyffrous na sefyll ar forglawdd igam-ogam Caergybi a gwylio'r llongau'n ymadael neu'n agosáu. Mae'n hardd i ryfeddu, ac yn llawn posibiliadau.

'Dros beth mae Caergybi'n sefyll?' holodd R. S. Thomas yn ei hunangofiant, *Neb,* cyn rhoi ateb nodweddiadol grafog: 'Dros y môr, debyg iawn, am mai ynys ydi hi.' Ynys o fewn ynys o fewn ynys; yr ynys sy'n gwneud tir mawr o Fôn sy'n gwneud tir mawr o Gymru; ac nid oes unman yn yr hunangofiant hynod hwnnw a ddarlunnir gyda mwy o gynhesrwydd synhwyrus na Chaergybi lle magwyd y bachgen yn arogl yr heli, sŵn y tonnau, a mynd-a-dod diddiwedd y llongau: 'Chwaraeai, rasiai, âi i ymdrochi yn y môr, i rwyfo cwch, i bysgota...' Fel y tystia R. S., ac fel y gwelir ym morluniau grymus Iwan Gwyn Parry, artist arall sy'n frodor o Ynys Gybi, mae hon a'i harfordir yn gyforiog o ryfeddodau naturiol, o gilfachau hyfryd Porth Ruffydd a Phorth Dafarch a hynodweddion daearegol fel Bwa Gwyn Rhoscolyn, i glogwyn aruthrol Ynys Lawd neu'r golygfeydd bendigedig o ben Mynydd Twr. Fel mwyafrif arfordir Môn, dynodwyd Ynys Gybi yn ei chyfanrwydd, bron, yn Ardal o Harddwch Naturiol Eithriadol, ac mae yma sawl cynefin i rywogaethau prin.

Ond yr hyn sy'n gwneud y rhan hon o Fôn yn wirioneddol gyfareddol yw ymwneud hir ac amrywiol dyn â'r adnoddau naturiol hynny. Er i William Morris, y trydydd o Forysiaid Môn a oedd yn swyddog tollau ym mhorthladd Caergybi, gwyno'n goeglyd ei fod yn byw 'ar ymyl morgraig lom, lle nid oes fawr Ddiddanwch', roedd yn byw yn y lle gorau un i lysieuydd a naturiaethwr brwd a ymddiddorai yr un mor angerddol mewn hynafiaethau. Hanner miliwn o flynyddoedd yn ôl, medd yr arbenigwyr, denwyd yr anheddwyr cyntaf yma, fel i Fôn gyfan, ar sail rhinweddau'r ynys a'i safle amddiffynnol naturiol. Roedd yma ogofâu'n noddfa, ac anifeiliaid, pysgod a chregyn môr yn ymborth. Prin y gadawodd y gwareiddiad cyntaf hwnnw ei ôl, ond mae olion yr oesau diweddarach yn frith hyd Ynys Gybi: naddion fflint o'r oes Fesolithig yng nghytiau Tŷ Mawr, claddfeydd Neolithig Porth Dafarch, ac olion dylanwadau newydd a ddaeth ar draws y môr yn donnau o bobloedd a syniadau – a chnydau, hyd yn oed, i dir ffrwythlon Môn. Mae olion fferm soffistigedig o'r Oes Haearn yn dal yn Nhŷ Mawr heddiw, tra darganfu W. O. Stanley, cymwynaswr mawr y Gaergybi Fictorianaidd, olion gweithfeydd metel rhwng tai crynion yr un safle. Mewn rhan arall o Ynys Gybi, heb fod nepell o dŵr sigarét y gwaith alwminiwm, saif siambr gladdu Trefignath, un o feddrodau niferus Môn, yn dyst i barch dyn i'w dreftadaeth yn ogystal â'i bryder erioed ynghylch parhad yr hil.

Aeth yr haenau hyn o hanes yn rhan o wead Ynys Gybi ei hun, ac wrth ei chrwydro heddiw mae'r cyfoeth cyferbynnus o'ch cwmpas i gyd ac yn rhoi ansawdd arbennig iddi. I fryngaer gynhanesyddol Mynydd Twr, er enghraifft, fe ddaeth y Rhufeiniaid i godi gorsaf rybuddio (rhag morladron o Fôr Iwerddon), ac mae seiliau'r waliau hynny'n dal i sgwario yno, gan gyferbynnu â thrywyddau crwm y waliau sych. Ar lawr y dref, codasant gaer filwrol i gadw llygad ar y porthladd, yn rhesi unionsyth o gerrig nadd ar letraws, ac aeth honno yn ei thro i feddiant Cybi Felyn, nawddsant yr ynys, yn gorlan i'w feudwyfa. Mae'r waliau Rhufeinig yn dal i sefyll heddiw, yng nghanol y dref fodern, yn rhagfur i eglwys hardd Sant Cybi lle mae'r yfwrs canol-dydd, a'u cefnau ar y cerrig beddau, yn dal i syllu'n bell tua'r môr, yn union fel y *vigiles* gynt.

Dyna pam y mae'n rhaid i mi anghytuno â Bobi Jones yn *Crwydro Môn* pan ddaw i'r farn fod 'pob tref yn ddiflas. Ond mae Caergybi'n ddiflas, ddiflas.' I'r gwrthwyneb. Mae pob tref yn ddifyr. Ond mae Caergybi'n ddifyr, ddifyr. Mae'n wir nad hon yw'r fwyaf cynlluniedig a chymesur o drefi Cymru, ond beth sydd i'w ddisgwyl a hithau'n dref borthladd, ac yn dangos holl ad-hocrwydd y llefydd hynny sydd ond yn lledaenu lle bo'r gofyn? Mae difyrrwch di-ben-draw i'w gael o grwydro'r strydoedd gogwyddol, a dylanwadau hen a newydd yn dal yn gybolfa braf: y bwyty Mecsicanaidd a'r caffi Cymreig, y Clwb Ceidwadol a'i baent pliciedig y drws nesaf i oriel arlunydd, y Boots a'r siop bysgota, capel mawr Hyfrydle MC, lle cynhaliwyd cyngerdd coffa fy ffrind Sian Owen, a B&B go bethma. Mae 'na sgyrsiau parod i'w cael yn y siopau, a hynny yn y Gymraeg a'r Saesneg (ac yn fynych yn gymysg), er bod yr iaith fain gryn dipyn yn gyffredinach: rhyw ddeuddeg y cant o blant yr ysgol uwchradd sy'n dod o gartrefi Cymraeg erbyn hyn, ffigwr sydd rywfaint yn is na phan oedd fy mam yma'n athrawes cyn i mi gael fy ngeni ar ddechrau'r 1970au. Ond mae'r arwyddion ar flaen y George Hotel yn y ddwy iaith bob un, ac mae yna bobl yn codi bys bach yn Gymraeg ac yn Saesneg yn nhafarndai'r dref, gan gynnwys y Gleesons Free House sydd ag ysgrifen Wyddelig a shamrocs ar ei arwydd, ochr yn ochr â 'Chroeso' a chennin Pedr.

Ac oes, mae 'na dinc o'r Wyddeleg yma o hyd: mae i'w gweld ar y cyd â'r Gymraeg a'r Saesneg yn ffenest menter ynni llanw Minesto, yn arysgrif y fainc ar ben Stryd Stanley, ac yng nghyfenwau'r trigolion. Os oes yna ystyr ehangach i'r label 'Porth Celtaidd' o gwbl, yn yr hybridedd hwnnw sy'n elfen mor ganolog yng nghymeriad Caergybi y mae hynny, yn hytrach nag yn y bont loywlyfn ddur sy'n cysylltu'r porthladd a'r dref heddiw. Magwyd fy hen daid, Jac Price, yn y dref, yn fab i Gymro a Gwyddeles ac yn Gymro Cymraeg ei hun. Mynnai Cledwyn Hughes fod y Cymry, y Saeson a'r Gwyddelod yn cyd-fyw'n gytûn yng Nghaergybi, yn ieithyddol a chymdeithasol, ac efallai ei bod yn arwyddocaol fod ieithegydd enwocaf Prydain wedi'i fagu yn y dref: David Crystal, y gŵr sydd wedi taro'r post yn y Seisnicaf o gyd-destunau wrth fynnu bod 'dysgu ieithoedd ein gilydd yn gam cyntaf at ddod yn ffrindiau'.

Ychydig o dystiolaeth sydd, serch hynny, i'r Cymry a'r Gwyddelod ddysgu ieithoedd ei gilydd, ac yn y canrifoedd diweddar, y Saesneg, iaith Coron Lloegr ac iaith byd busnes, fu'r *lingua franca* rhwng Cymru ac Iwerddon, yn enwedig yng nghyswllt y porthladd. Does dim dwywaith na fu hwnnw'n allweddol i economi'r ddwy wlad, ac mae'n parhau i fod felly. Ond mynd trwy Gaergybi, nid aros ynddi, a wna'r cyfoeth gan mwyaf. Enghraifft drawiadol o hynny, fel y sonia Irene yn siop bysgod W. G. Edwards wrthyf, yw'r hyn sy'n digwydd pan ddocia'r llongau mordaith moethus yma (disgwylir hyd at ddeugain ohonynt eleni, y nifer mwyaf erioed): llwythir y teithwyr ar fysys a'u cludo ar eu hunion ymhell oddi yno i weld cestyll Normanaidd Biwmares a Chaernarfon, ac i ryfeddu at ogoniannau Eryri os bydd y niwl yn cadw draw. Canran bitw o holl ddefnyddwyr y porthladd sy'n oedi yng Nghaergybi, er gwaethaf ei holl atyniadau, ac fel y pwysleisia Irene, byddai'r dref yn elwa'n fawr o dwristiaeth fwy dychmygus.

Mae'r dref hon wedi dioddef fel pob tref sy'n ddibynnol ar fasnach a thrafnidiaeth a'r hyn-sy'n-mynd-heibio, a chafodd ei siâr o helbulon. Dioddefodd yn enbyd yn ystod y rhyfel masnach rhwng Prydain a Gweriniaeth Rydd Iwerddon yn y 1930au, pan oedd dros hanner y boblogaeth yswiriedig yn ddi-waith. Ac er cryfhau'r economi wedyn – wedi ymdrechion dygn i ddenu diwydiannau newydd – cododd lefel y diweithdra'n boenus o uchel unwaith eto yn nyddiau tywyll y 1980au. Dagrau pethau erbyn hyn ydi bod pethau'n gwaethygu drachefn. Gwelodd y blynyddoedd diwethaf galedi enbyd yn yr ardal:

collwyd chwe chant a hanner o swyddi mewn blwyddyn yn 2009, pan gaeodd Alwminiwm Môn ac Eaton Electrical eu drysau, ac er dynodi Caergybi, fel gweddill Môn, yn 'barth menter' gan Lywodraeth Cymru, 'Coming Soon' sydd ar arwydd Parc Diwydiannol Cybi ers tro byd, a defaid yn pori wrth fôn yr hysbysfwrdd. Mae 'na barc adwerthu digon llewyrchus yn ardal Penrhos, ac unedau busnes bach ffyniannus wrth gefnau'r *superstores* hynny. Ond mae'r argyfwng economaidd yn effeithio hyd yn oed ar y cewri cydwladol: y tro diwethaf i mi bicio yno, roedd siop esgidiau Brantano'n blastar o bosteri *Last Few Days*, ac yn mynd mor bell â gwerthu'r silffoedd eu hunain. Er difyrred yr olion diwydiannol sy'n frith dros Ynys Gybi (megis yr hen felin wynt gerllaw cae'r Holyhead Hotspurs, olion chwarel cwartsit Rhoscolyn, neu simdde'r gwaith brics ym Mharc y Morglawdd), dydi hi ddim mor hawdd rhamantu'r olion diwydiannol mwy diweddar – a'r erydu cymdeithasol a ddaw yn sgil dirwasgiad. Mae yna bryder dilys am ddiboblogi, a cholli'r ifanc hyfforddedig.

Eleni, a Brecsit eisoes yn yr arfaeth a'r ofn y daw ffin galed rhwng Prydain ac Iwerddon, pryderir y bydd tariffau newydd yn mennu ar hyfywedd y porthladd hyd yn oed. Un o drasiedïau eironig y blynyddoedd diwethaf un fu'r twf yn y gefnogaeth i UKIP, yn y dref a fu'n gadarnle cyhyd i Lafuryddiaeth. Bu blychau pleidleisio Caergybi'n gryf o blaid Brecsit, er bod y porthladd wedi elwa'n anfesuradwy o fodolaeth yr Undeb Ewropeaidd a bod y faner las a'i sêr melyn yn stamp ar bob math o 'welliannau' yn y dref (gan gynnwys mynedfa'r orsaf reilffordd, mynwent yr eglwys, tramwyfa Ynys Lawd, y parciau busnes, ac yn fwyaf diweddar, y miliynau a roddwyd i drwsio adeilad hardd Neuadd y Farchnad). Yn y cyfamser, unwaith eto fyth, gall

Caergybi hawlio'r clod o fod â'r lefel diweithdra uchaf yng Nghymru, yn deirgwaith y cyfartaledd cenedlaethol: am bob un swydd sy'n mynd, mae 'na saith yn ymgeisio amdani. Fel ym Môn gyfan, mae cyflogau'n is yma, afiechyd hirdymor yn fwy cyffredin, a'r dynion ddwywaith yn fwy tebygol o dderbyn triniaeth ysbyty am broblemau alcohol a chyffuriau nag yng ngweddill gogledd Cymru. Yn ôl yr elusen End Child Poverty, mae dros 40% o blant Caergybi'n cael eu magu mewn tlodi: dyna ddau blentyn o bob pump yn byw ar aelwyd lle nad oes digon o arian i dalu am anghenion sylfaenol byw. Mae 'Digartref Môn', sy'n gofalu am bobl fregus ac anghenus, rhai ifanc yn bennaf, yn cael trafferth ymdopi â'r holl alwadau sydd arnynt, tra bo 'Pantri Pobl', y corff sy'n gweinyddu banciau bwyd, yn gweld cynnydd parhaus yn y niferoedd sy'n troi atynt rhag llwgu – stori sobreiddiol sy'n gyfarwydd trwy Gymru gyfan.

Dydi hi ddim yn syndod, felly, ffyrniced y dadlau am godi Wylfa B bymtheng milltir i ffwrdd o Gaergybi (testun *Hollti* gan Manon Wyn Williams, drama gomisiwn Theatr Genedlaethol Cymru yn Eisteddfod Môn eleni). Pan gaewyd yr hen atomfa yn 2010, collwyd mil a hanner o swyddi. Sonnir gan gwmni Horizon y bydd angen wyth mil o weithwyr i adeiladu'r Wylfa newydd, ar gost o £8 miliwn dros gyfnod o naw mlynedd, ac y cyflogid, maes o law, wyth gant a hanner o weithwyr hyfforddedig yn barhaol. (Mae Horizon eisoes wedi bod yn cydweithio â Choleg Menai yn Llangefni i noddi prentisiaid peirianyddol lleol.) A'r angen am swyddi'n daer, mae'r fath ffigyrau'n dra deniadol. Gwaetha'r modd, nid dyna'r darlun llawn, fel y tystia'r anghytuno. Mae dadleuon grwpiau megis PAWB yn erbyn ynni niwclear yn dal i argyhoeddi llawer, a fersiwn diweddaraf, rhatach cynllun Horizon (a gyhoeddwyd ddiwedd Mai 2017), yn peri pryder pellach ynghylch diogelwch. Ac os elwodd rhai o werthu talpiau o'u tir i arfaethu'r atomfa newydd, fu eraill ddim mor frwd dros ildio'u cartrefi i *compulsory purchase order* cwmni grymus, globaleiddiedig sy'n rhan o ymerodraeth Hitachi.

Ond efallai mai Horizon ei hun a wnaeth yn fwyaf amlwg arwyddocâd tyngedfennol y cynllun i'r rhan hon o Fôn, a hynny yn eu cyfaddefiad agored mai chwarter yr adeiladwyr a fyddai'n debygol o ddod o ogledd Cymru (ni sonnir am y filltir sgwâr), ac y byddai llai na hanner y staff parhaol yn debyg o hanu o Fôn, ffigyrau a ddisgrifiwyd gan Gyngor Môn ei hun yn siomedig o anuchelgeisiol. O wireddu'r cynllun, felly, byddai chwe mil o weithwyr (sef hanner poblogaeth gyfan Caergybi), ynghyd â'u teuluoedd, yn cyrraedd ardal yr Wylfa o'r tu allan i ogledd Cymru. Mae arbenigwyr eisoes wedi nodi y byddai'r straen ar isadeiledd yr ardal yn drwm, tra ofnir gan eraill y mennid ar ansawdd twristiaeth (prif ddiwydiant Môn erbyn hyn). Nid yw ymgais Horizon y llynedd i ddileu cymal iaith polisïau cynllunio cynghorau Gwynedd a Môn yn gwneud dim i leddfu'r amheuon nad ydi gwarchod cymeriad arbennig yr ardal, a'r iaith Gymraeg hithau, yn un o flaenoriaethau'r cwmni. Yn halen ar y briw, rhoddwyd caniatâd cynllunio hynod ddadleuol yn gynharach eleni i gwmni Land and Lakes godi pum cant o fythynnod, ynghyd â chyfleusterau chwaraeon, siopau a bwytai, ar dir gwyllt Parc Arfordirol Penrhos, yn ogystal â rhyw chwe chant o dai pellach yn ardal Kingsland a Chae Glas Caergybi (cynllun gwerth £120 miliwn). Hwn oedd y cais cynllunio mwyaf erioed i ddod gerbron Cyngor Môn, a bu caniatáu'r datblygiad yn destun loes i ymgyrchwyr iaith ac amddiffynwyr yr amgylchedd fel ei gilydd. Y nod, yn rhannol, oedd cartrefu adeiladwyr Wylfa

B yn nhreflan fawr Land and Lakes, ond bwriad Horizon bellach, o gael eu *go-ahead* yn derfynol, yw cartrefu hanner y gweithlu eu hunain, ac mae'r dadlau'n dwysáu.

O wireddu'r naill gynllun neu'r llall, byddai'r Seisnigo a ddôi yn sgil graddfa'r newid poblogaeth yn ei gwneud yn amhosib sicrhau bod y Gymraeg yn parhau'n hyfyw yn y rhan hon o Fôn. Mae 'na ddarogan iasol, rywsut, yn enw gwastataol Horizon a gwegi dihanes yr enw Land and Lakes, a'r pryder gwirioneddol yw y byddai ildio'n ddiwrthwynebiad i'w hewyllys yn creu unffurfedd ieithyddol a diwylliannol sy'n anghydnaws â chymeriad amryfal yr ardal erioed. Dydi'r patrymau cyfanheddu a welwyd yn ddiweddar mewn rhannau o Ynys Gybi ddim yn galonogol: ganed bron i hanner poblogaeth ward Trearddur, er enghraifft, yn Lloegr, a hon yw un o gymunedau mwyaf uniaith (Saesneg) Môn. Pan sonnir am wanychiad y Gymraeg yn yr ardaloedd hyn, felly, nid rhyw edwino naturiol mohono, ond yn hytrach benderfyniad ymwybodol miloedd o oedolion i beidio â dysgu Cymraeg ar ôl symud i Fôn i fyw – neu 'the island', ys dywedir ar lafar gwlad. Mae yna ideoleg unffurfiol ar led.

'Nid ynys mo Ynys Môn,' meddai Gerallt Lloyd Owen yn ei gerdd 'Tryweryn', ac yn yr ystyr honno, nid ynys mo Ynys Gybi chwaith. Trychu Môn fyddai colli Ynys Gybi, fel y byddai colli Môn Gymraeg (Duw a'n gwaredo), yn trychu Cymru. Bu Ynys Gybi'n gostrel ein hamryfalwch erioed. Cynhwysodd yr holl ddylanwadau ynddi ei hun, yr holl fynd a dod ar fôr ac ar ffyrdd, a chyfrannodd hyn i gyd at ei chymeriad cyferbynnus a dengar. Mae'n haeddu ei hymgeleddu. Ond mae fel petai ynom, Gymry Cymraeg, ryw ddifrawder wrth ymwneud â hon, ynghyd â'r gaer sy'n galon iddi. Neu efallai inni fod mor brysur yn boddi nes anghofio bod gennym hawl ar borthladdoedd.

Beth bynnag fo'r rheswm, mynd trwy Gaergybi a wna'n trwch ninnau.

'Roedd yno borthladd da,' llawenhaodd R. S. Thomas wrth gofio'i blentyndod yng Nghaergybi ganrif yn ôl, ac am y tro, fe ddeil hynny'n wir, a chynlluniau Horizon a Land and Lakes yn dal yn y fantol, a gwir effeithiau Brecsit ar berthynas Cymru ac Iwerddon yn dal yn aneglur. Ar hyn o bryd, mae berw rhyngwladol y porthladd yn dal i fynd â'ch gwynt, a sefyll ar y morglawdd igam-ogam yn gwylio'r llongau'n ymadael neu'n agosáu mor gynhyrfus ag erioed, yn olygfa hardd i ryfeddu ac yn llawn posibiliadau. Yn y dref gyfoethog-a-thlawd hithau, mae'r sgyrsiau'n dal, hyd yn hyn, yn gymysg yn ieithyddol, a'r 'Porth Celtaidd' yn dal yn hybridedd blêr a byw.

Ond pan fyddaf yn troi tuag adref ar ddiwedd dydd o grwydro Ynys Gybi, gan deithio'n ôl hyd lyfnder yr A55 a gweld o'r newydd yr enwau Cymraeg cyhyrog yn ymganghennu oddi arni – Rhosneigr, Gwalchmai, Aberffraw, Pentre Berw, Llanfairpwllgwyngyll – a phan fyddaf yn gadael tir mawr Môn i gyrraedd tir mawr Arfon, ni allaf ond teimlo fy mod wedi troi cefn ar le go arbennig. Ynys o fewn ynys o fewn ynys. A honno, er ei bod ar ein cyrion eithaf, yn ganolbwynt o fath inni hefyd.

Swnllyd

'The ear is important to the speaker as well as to the listener.'

David Abercrombie, *Elements of General Phonetics*

Nant Gwynant, 1880

Ar ddechrau'r 1880au daeth y seinegydd enwog, Henry Sweet, i Eryri i astudio Cymraeg llafar Nant Gwynant. Roedd Sweet yn ddarlithydd seineg ym Mhrifysgol Rhydychen, ac yn arloeswr yn ei astudiaethau ar yr iaith lafar a thafodieithoedd. Er mai mewn Lladin a Groeg y graddiodd, neilltuodd ran fwyaf ei yrfa academaidd i astudio seineg ieithoedd byw.

Yn y bri a rôi ar y llafar, cywirai Sweet ragfarn canrifoedd o blaid yr ysgrifenedig. Nid llygriad o'r iaith ysgrifenedig (barhaol, reolaidd, urddasol) mo'r iaith lafar (ddiflanedig, afreolaidd, flêr) i Sweet a'i debyg. Yn hytrach, roedd yn wrthrych astudiaeth yr un mor ddilys â'i chymar ysgrifenedig. Yn wir, yn ei blerwch a'i sŵn yr oedd iaith ar ei mwyaf byw a chreadigol, yn gynnyrch corff ei siaradwr mewn corff o siaradwyr. Talodd Sweet y parch dyledus iddi a rhoi urddas i iaith yn ei hymgorfforiad swnllyd.

Yn gymeriad lliwgar ac athrylithgar, Sweet a ysbrydolodd elfennau o gymeriad Henry Higgins yn nrama George Bernard Shaw, *Pygmalion*. Higgins oedd y seinegydd a adwaenai acen pob stryd yn Llundain ac a anfarwolwyd gan Rex Harrison yn y ffilm *My Fair Lady*. Yn snob ac yn fwli, ceisiodd ddofi cockneyaeth wyllt Eliza Dolittle – a'i dofi hithau yr un pryd – trwy roi sawl pryd o dafod iddi. Ei amcan oedd ei chael i siarad Saesneg dosbarth-uwch Llundain, y dafodiaith a gofnodwyd gyntaf gan Sweet, ac y daethpwyd i'w galw gan ei ddisgybl, Daniel Jones, yn *Received Pronunciation*.

Amcan gwahanol oedd gan Sweet, sef gwrando ar iaith o enau ei holl siaradwyr. Ymagorodd i'r llafar, gan wneud hynny gyda gofal a gostyngeiddrwydd. Treuliodd dri haf yn olynol yn Eryri yn clustfeinio ar Gymraeg y bobl leol ac yn ei thrawsysgrifio. Cyhoeddodd ffrwyth ei ymchwil mewn erthygl o'r enw 'Spoken North Welsh', ac yn honno, yr iaith lafar fyw a blêr a'i diddorai. 'I have, of course,' meddai, 'treated the language throughout as a living one, and have given the same prominence to the borrowed English as to the native element.' Aeth yn ei flaen i fynnu mai'r llafar oedd ffynnon fywiol iaith:

> It is greatly to be wished that educated Welshmen would cultivate the genuine spoken language instead of the artificial jargon of the newspapers, and reflect that the superiority of such a work as the *Bardd Cwsg* consists precisely in its style being founded (as shown by the numerous English words) on the everyday speech of the period.

Yn fuan wedi i Sweet orffen ei waith yn Eryri daeth John Morris-Jones yn fyfyriwr iddo yn Rhydychen. Ugain mlynedd yn ddiweddarach, gwrandawai T. H. Parry-Williams yntau ar ddarlithoedd Sweet. Does dim dwywaith i bwyslais y seinegydd ar ddilysrwydd y llafar ddylanwadu ar waith gramadegol y naill (i ddechrau, beth bynnag), ac ar briod-ddull llenyddol y llall a ganodd glodydd Sweet yn yr ysgrif 'El ac Er'.

* * *

Rhydychen, 1990

Dros ganrif yn ddiweddarach, Americanwr *cool* a hynaws, a'i fwstásh yn cuddio'i geg, oedd olynydd Sweet yn Rhydychen. Roedd rhyw ddwsin ohonom yn dilyn y cwrs seineg blwyddyn gyntaf i fyfyrwyr ieithoedd modern. Wyddai'r Americanwr fawr ddim am *Welsh*, heb sôn am *spoken North Welsh*; seineg ieithoedd gorllewin Affrica oedd maes ei arbenigedd o. Ond roedd yn athro amyneddgar a chanddo'r rhinwedd – i mi, yr Israeliad, yr Almaenes a'r *Geordie* oedd yn y dosbarth – o alw *RP* yn 'dafodiaith', gair a gorddai'r lleill (a oedd wedi talu'n ddrud am eu hacen).

Dan gyfarwyddyd olynydd Henry Sweet, felly, buan y dysgais sut i ddadansoddi sŵn. Ac yn fwy penodol, sut i ddadansoddi sŵn fy iaith fy hun. Dysgodd yr Americanwr inni mai sgil-gynnyrch yr organau anadlu, cnoi, llyncu ac arogli oedd iaith. Dysgodd inni am gyfarpar y llais a symudiad y llif-aer o'r ysgyfaint, trwy'r bibell wynt a heibio i wefusau cêl y laryncs, a'r trawsnewidiadau rhyfeddol a ddigwyddai iddo yn y genau wrth symud tros dafod, dan daflod, trwy ddannedd a thros wefus. Ac fel y byddai'r llif-aer wedyn yn ei lawnsio ei hun i'r byd y tu hwnt i'r corff, er mwyn cyrraedd ei nod, achos ei holl fodolaeth, sef clust ddeallus ac empathetig y gwrandäwr. Roedd y cyfan mor gorfforol, ac mor gyffrous i gyw-ieithegwyr deunaw oed.

Dysgwyd inni feinhau ein clyw er mwyn gwrando ar synau ein gilydd. Clywsom, er enghraifft, mai monopthongiaid oedd llafariaid naturiol y Gymraes yn y dosbarth, tra tueddai'r Saeson yr *RP*, meddid, i ddipthongeiddio. Clywsom fod yr Almaenes yn cael trafferth ynganu 'l dywyll' (ein 'l' ni yng ngogledd Cymru), a bod yr athro ei hun, fel rhai o bobl y Bala, yn cael rowlio 'r' yn gamp.

Wrth i'r wythnosau fynd heibio, arbrofwyd â synau ieithoedd mwy estron, yn gliciadau ac yn llynciadau ac yn ataliadau mewn rhannau o'r llwybr lleisiol na wyddem gynt amdanynt. Erbyn diwedd y tymor roedd waliau'r dosbarth yn atseinio gan leisiau ifanc yn tuchan, tafodi, deintio a thrwyno – a chwerthin fel llif-aer yn rhwyddhau'r cyfan.

Ond gwyddor oedd hon i fod, a daeth terminoleg i roi trefn ar y sŵn. Nid 'p' oedd 'p' mwyach, ond 'pulmonic egressive, voiceless bilabial plosive', ac nid ebychiad o bleser neu sioc mo 'w', ond 'pulmonic egressive, voiced, close back rounded'. Roedd i bob sŵn ei ddynodiad, a'r derminoleg ei hun yn iaith newydd.

Dysgais innau addasu'r darlithoedd er mwyn dadansoddi a dynodi synau fy iaith fy hun. A hithau'n hysian yn ymylol o gil y geg, roedd 'll', os cofiaf yn iawn, yn 'pulmonic egressive, voiceless alveolar-lateral fricative', term cydnaws â 'Llanfairpwllgwyngyll...' ei hun. Ac nid yr ABC a ddysgwyd inni yn Ysgol Bethel mo wyddor y seinegydd. Rhaid oedd dysgu'r IPA, yr wyddor seinegol ryngwladol, a alluogai seinegwyr y byd i siarad yr un iaith. Trodd fy enw fy hun yn rhes o symbolau od.

Wrth dynnu at derfyn y cwrs, rhywbryd wedi'r Pasg, croeswyd y ffin rhwng seineg a ffonoleg: y naill ddisgyblaeth yn astudio synau ieithyddol yn gyffredinol, a'r ddisgyblaeth arall yn astudio synau iaith benodol. Dysgodd ffonoleg inni mai canfod patrymau swnllyd a wnaem wrth ganfod ystyron yr iaith lafar; mai dirnad y patrwm oedd deall yr iaith. Nid oedd na drwg na da, nac ychwaith werth absoliwt i unrhyw sain ieithyddol. Y gwahaniaeth rhwng sŵn a sŵn a gyfrai.

Doedd yr iaith a siaradem, felly, yn ddim ond cyfundrefn o gonfensiynau swnllyd.

Os oedd clywed hyn yn syndod i Gymraes a fagwyd yn

gymharol ddwyieithog, bu'n sioc ddirfodol, bron, i rai o'r Saeson na chwestiynodd erioed safle breiniol eu mamiaith, a'r ffordd yr ynganent hi, na gweld ei diorseddu. Nid Angau, ond ffonoleg, oedd y gwastatäwr mawr.

Erbyn arholiadau'r haf roedd y dwsin ohonom, mwy neu lai, wedi meistroli seineg. (Mae'r Israeliad yn Athro Ieitheg yn Adelaide heddiw, a'r Almaenes yn seinegydd fforensig gyda'r heddlu ffederal yn Wiesbaden.) Daeth sŵn iaith – gan gynnwys sŵn fy iaith fy hun – yn gorff y gallwn innau, â min fy nysg, ei ddadansoddi. Byddai Sweet wedi bod yn falch o'i greadigaeth.

A 'gwyddwn' bellach nad oedd i sŵn y Gymraeg, mwy nag unrhyw iaith arall, ystyr hanfodol. Confensiynau oedd y cyfan. Nid oedd dim byd mamol na melys am 'm', na dim herfeiddiol mewn 'h'. Doedd perthynas sŵn a'i ystyr yn ddim mwy nag arferiad a theimlad. Roedd rhyw gysur yn y gwastatáu, ac ymfalchïwn yn fy ngwrthrychedd.

* * *

Fienna, 1995

Roedd digon o Gymry Cymraeg yn Rhydychen i wneud twrw (os nad ei godi), ac i gadw sŵn yn sownd wrth ystyr. Yn Awstria, fodd bynnag, roedd synau'r Gymraeg yn fwy prin. Dwysaodd y dadansoddi pan es dramor i fyw. Yn raddol, wrth i'r misoedd fynd heibio, aeth y Gymraeg yn bellach oddi wrthyf. Ac yn absenoldeb clust siaradwr arall, heb sôn am gorff o siaradwyr, daeth synau fy mamiaith yn bethau mwy haniaethol, yn bethau i chwarae â nhw, yn bethau, fel pob confensiwn anarferedig, a oedd bron â bod yn hurt.

Cawn sioc gorfforol, bron, pan ddychwelwn adref ar wyliau, a siarad Cymraeg yn golygu ailosod fy ngheg, a'r glust yn gorfod aildiwnio i dderbyn ystyr. Goslef Gymraeg o gefnau Capel Bethel yn fy neffro'r bore cyntaf, a cheisio dirnad patrymau'r sŵn mor anodd a dryslyd â chodi allan o freuddwyd.

* * *

Roedd yn Fienna ddigon o sŵn cyffredinol, yn ddwndwr traffig a chlychau tram, yn ymchwydd cerddorfaol a llefau operatig, ac yn lleisiau twristiaid a phoblogaeth gymysg, a thafodiaith drwynol y ddinas yn llifo trwy'r cyfan. Ond er holl amrywiaith y stryd, chlywn i byth sŵn fy iaith fy hun, ac roedd hynny'n graddol ddechrau dweud arnaf.

Erbyn y misoedd olaf clustfeiniwn a chlustfeiniwn am y Gymraeg wrth gerdded trwy'r ddinas. Ond ddôi hi ddim. Roedd y glust ddeallus yn gwrando'n ofer.

Tybio'i chlywed weithiau – patrwm o sŵn cyfarwydd – ynghanol torf ar stryd y Graben neu yng ngerddi'r Belvedere. Symud yn nes at y siaradwyr a chlustfeinio eto. Eu dilyn yn llythrennol weithiau, yn ddygn-amheus fel y dyn hwnnw yn *The Third Man*. A chael siom, dro ar ôl tro, wrth i'r Gymraeg dybiedig ailymbatrymu yn synau iaith arall, annealladwy.

Dim ond unwaith y clywais y Gymraeg ar hap yn Fienna: synau sir Gâr wrth fedd Beethoven. Sgwrsio â'r dieithriaid o Gymry fel petawn yn eu nabod erioed: paldaruo'n wirion (siawns nad oedd Beethoven yn falch ei fod yn fyddar), cyn rhoi taw arni yn y man dan ymddiheuro. A throi adref trwy dawelwch y fynwent fawr.

Gwario fy *schillinge* prin ar docyn i gyngerdd gan Bryn Terfel yn neuadd grand y Musikverein. A chanfod fy hun yn gwrando, nid yn gymaint ar sŵn y bariton coeth, ond am dinc Pant Glas ar eiriau'r *lieder*.

'Ti'n *sad,*' meddai ffrind i mi ar y ffôn. 'Mae'n bryd i chdi ddod adra.'

* * *

Digon hawdd dweud. Onid oedd gen i waith i'w wneud? Gwaith academaidd, dadansoddol, gwrthrychol. Roeddwn yno i astudio barddoniaeth *avant-garde* Awstria wedi'r Ail Ryfel Byd (o bob dim).

Roedd y beirdd a astudiwn hwythau wedi eu dieithrio oddi wrth eu mamiaith, yn sgil ei llygru gan y Natsïaid. Yn chwalfa Fienna'r 1950au, felly, aethant ati i ddadansoddi iaith yn llythrennol. Ar gyrion y Stephansplatz maluriedig, a'r gadeirlan wedi'i bomio'n rhacs, deuent ynghyd bob nos i ddryllio'r Almaeneg. Troesant hi yn ddarnau o sŵn, a gwagio'r sŵn o'i ystyr. A chyfansoddi cerddi sŵn fel hon, na chanfyddid ei hystyr ond ym mherthynas synau â'i gilydd, i'w pherfformio mewn *cabaret* gyda'r nos:

a a a a a a a a a a a
a a a a a o a a a a a
a a a a o o o a a a a
a a a a a o a a a a a
a a a a a a a a a a a

Hawdd credu y byddai cerdd fel hon wedi plesio Sweet, y gŵr a ffolai ar lafariaid ac a ymarferai bron i bedwar ugain ohonynt yn ddyddiol. Yn yr un modd, tybed na fyddai wedi cael modd i fyw wrth glywed y beirdd Awstriaidd yn defnyddio iaith lafar Fienna i danseilio'r *Hochdeutsch* safonol, cyfrwng llên ganonaidd yr Almaen. 'Mae'r cerddi hyn brifo rhywun yn gorfforol!' cwynodd un sylwebydd ar y pryd.

Y pen-ieithmon yn eu plith oedd H. C. Artmann, rhyw Ddic Aberdaron barddonol neu fersiwn remp o Henry Sweet a feddwai ar synau iaith. Dysgodd Artmann Gymraeg iddo'i hun yn bedair ar ddeg oed. Dysgodd lu o ieithoedd eraill wedyn, gan gynnwys Latfieg, Ffinneg a Swahili. Ond y Gymraeg fu dechrau'r cyfan, a'i hoff sŵn yn y byd, ar wahân i sŵn tafodiaith Fienna, oedd sŵn cerddi'r Gogynfeirdd Cymraeg. Cyfansoddodd yntau gerdd 'Gymraeg' ganoloesol i'w dynwared:

> yr mwyaf gŵr mynyz
> yn rhozoz
> oed branagl y mae hi
> yn sychred
> ond cwyrlwch o gwrion:
> ynysoez attedion
> och cwcw!
> Un cwpa llechlen gan pen
> wele ond ni dderbyn
> yn vyrz cyffeithiol...

Dynwared sŵn y Gymraeg / Cernyweg / Llydaweg a wnâi Artmann yma, gan greu *collage* o sŵn a ddieithriai ac a ddrysai ei gynulleidfa Awstriaidd. Ystyr y gerdd oedd ei heffaith ar y glust anneallus.

Roedd pleser deallusol i'w gael o astudio giamocs clywedol Artmann a'i griw. Roedd eu gwaith yn goncrid-gyffrous ac yn ymateb creadigol i sefyllfa wleidyddol benodol Awstria wedi'r Natsïaid. Eto, rhyw fin nos, wrth wrando ar y canfed efelychiad o gerddi sŵn beirdd Grŵp Fienna, a hynny gan feirdd ddeugain mlynedd yn iau na nhw, trodd yr holl ddadansoddi ieithyddol arnaf. Daeth arferiad a theimlad i hawlio'u lle.

* * *

Cyn mynd adref o Fienna rhaid oedd gorffen dysgu cwrs Cymraeg yn y brifysgol. Ieithegwyr dawnus oedd y myfyrwyr, wedi eu trwytho mewn gramadeg hanesyddol. Gwyddent reolau seineg y Gymraeg heb fod wedi clywed gair o'r iaith erioed. Roedd y cyfan yn eu llyfrau trymion: yn wyddor o derminoleg ffilolegol ac o symbolau'r IPA. Gallent rag-weld treigladau'r Gymraeg cyn i mi eu dysgu iddynt, ac weithiau cywirent flerwch fy iaith lafar i. Wedi'r cwbl, fy ngwaith i oedd ymgorffori rheolau eu gramadegau. Troi'r llyfrau'n llafar. A dim mwy.

Gofynnwyd tua'r un pryd am fy help gydag Archif Sain Rudolf Trebitsch, yr ethnolegydd o Fienna a deithiodd ar draws Ewrop ar ddechrau'r ugeinfed ganrif er mwyn recordio'r ieithoedd brodorol. Defnyddiodd Trebitsch ei beiriant ffonogram i gadw cofnod o'r ieithoedd Ewropeaidd a oedd, yn ei farn o, fwyaf tebygol o farw cyn diwedd y ganrif honno. Bu'n gwrando ar iaith yr Inuit ar yr Ynys Werdd. Crwydrodd i Wlad y Basg i wrando'r Euskara. Ac yn 1907 a 1909, teithiodd i Lydaw, Cymru, Iwerddon, Ynys Manaw a'r Alban, i recordio sŵn yr ieithoedd Celtaidd cyn i'r rheiny dewi am byth.

Ymhlith y lleisiau a dreiddiai trwy graciadau ffonogram Trebitsch gellid clywed llais gŵr o Fethesda'n adrodd stori, sgwrs gan wraig o Sir Fôn, atgofion gan fenyw o'r Rhondda, ynghyd â John Morris-Jones ei hun yn adrodd cywydd gan Goronwy Owen, a'i lais yn annisgwyl o fain. Dyma rai o'r recordiadau cynharaf o'r iaith lafar Gymraeg ac roedd gwrando ar amrywiaeth y tafodieithoedd a'r acenion yn brofiad hyfryd.

Braint, o fath, oedd cael trawsysgrifio'r synau Cymraeg hyn a'u cyfieithu. Eto, roedd eistedd yn labordy sain Academi Wyddonol Awstria, yn gwrando ar fy mamiaith fel petai'n hanu o'r gorffennol pell, yn waeth na *sad*. Roedd yn dristwch annioddefol, a thinc ethnolegol y gwaith yn gwneud i mi deimlo bod gwrando ar y Gymraeg yn gyfystyr â dadansoddi sgerbwd dodo.

* * *

Caernarfon, y presennol

Dychwelais i Abertawe a Chaerdydd yn gyntaf, gan agor fy nghlust i gymysgedd o dafodieithoedd Cymraeg a Chymreig newydd. Ac yna i Gaernarfon, i sŵn fy iaith lafar fy hun, lle'r oedd fy nghlust ar ei mwyaf deallus a lle câi'r genau, o'r diwedd, ymlacio'n ôl i'w hen arferiad.

Clywed y Gymraeg yn llenwi'r lle, yn treiddio trwy'r Saesneg a'r lleisiau o bedwar ban byd ar y Maes, a hynny yn wefr na ddown drosti, boed hynny wrth ddringo Stryd Llyn neu giwio'n y banc, wrth yfed te yng Nghaffi Cei neu gwrw yn yr Anglesey, wrth nôl y plant o'r ysgol...

Nid oedd y derminoleg ar flaen fy nhafod mwyach. Ond gwrandawn arni'n astud fel y dysgwyd i mi gynt, hyd nes yr adwaenwn yn Higginsaidd acen pob pentref yn y fro, os nad pob stryd.

Unwaith eto, daeth gwrando ar y Gymraeg a'i siarad yn

weithred naturiol y corff mewn corff o siaradwyr. Roedd y rhyddhad yn un corfforol.

* * *

Ond weithiau daw ysgytwad. Picio i'r archfarchnad ar bnawn Gwener, trwy hymian y llif traffig trwy Gaernarfon, a hwnnw'n ymestyn o briffordd yr A55 yr holl ffordd at draethau Llŷn. A chael sioc gorfforol wrth glywed synau Saesneg yn llenwi'r siop, yn llafariaid gwasgedig a thrwynol swydd Lancs, cytseiniaid gyddfol y Sgowsars, heb sôn am yr *RP* fain sy'n uwch-dôn dros y cyfan. Mae hyn yn wastatáu o fath arall.

Ac megis yn Fienna, felly hefyd yng Nghaernarfon: ysaf ar adegau felly am glywed sŵn fy iaith fy hun. Clustfeinio a chlustfeinio wrth gerdded mewn siop yn fy nhref fy hun, a'r glust ddeallus yn gwrando. Yn ofer...

Nes ei chlywed, o'r diwedd, yn batrwm o sŵn cyfarwydd – 'taw nei di, swnan' – yn edau frau, yn rhaff achub mewn môr o Saesneg.

Cerdded heibio llif di-dor traffig yr A487 tuag adref. A sylweddoli sut y gall sŵn fynd yn obsesiwn: Bydd y Gymraeg yn fyw tra bo hi'n swnllyd.

* * *

Ar adegau eraill, a'i sŵn ymhobman – yn y cae swings, mewn partïon pen-blwydd, ar gae ffwtbol, yn seminarau'r coleg – daw ysfa gref am ddianc rhagddi; hynny yw, am ddianc rhag iaith yn ei hymgorfforiad swnllyd. Unrhyw iaith.

Cilio, petai ond am chwarter awr, i lonyddwch y Lôn Glai neu at ddistawrwydd y Foryd.

Ond mae'r sŵn yno o hyd, yn rhan o'r corff. Does dim llif-aer o'r ysgyfaint, trwy'r bibell wynt a heibio i wefusau cêl y laryncs. Does dim trawsnewidiadau rhyfeddol yn digwydd yn y genau, dim symud tros dafod, dan daflod, trwy ddannedd a thros wefus. Does dim ychwaith yn cael ei lawnsio i'r byd y tu hwnt i'r corff, na chlust ddeallus unrhyw wrandäwr yno i'w dderbyn. Ac eto, mae'n fyddarol. Seindorf o leisiau'n siarad yn y pen. 'Myfi ŷnt oll...'

Drylliau o sgyrsiau a darpar-sgyrsiau. Geiriau dwrdiol. Addewidion. Dyfyniadau. Llinell o gân. Enw deryn. Enw blodyn. Rhestr siopa anghyflawn. Atgof sydyn. Jôc – wael...

Ni ddysgwyd hyn inni yn y brifysgol: bod ymson ddi-sŵn ymhlith synau grymusaf y byd.

* * *

Mae'n dod yn rheidrwydd fwyfwy gwybod pryd a sut i droi clust fyddar. Daeth gallu dianc rhag iaith yn fath o achubiaeth.

Ugain mlynedd a mwy wedi dosbarthiadau seineg yr Americanwr hynaws, ar ôl dysgu dadansoddi sŵn, ei ddosbarthu, ei ddynodi, ar ôl gwirioni arno, a throi arno, ac ar ôl ei ennill a'i golli ar ei amrywiol weddau, rhaid dad-ddysgu'r cyfan.

Mae hon hefyd yn ddisgyblaeth, er nad gwyddor mohoni. Nid oes iddi na therminoleg nac IPA. Nid oes angen na dadansoddiadau, na dosbarthiadau, na dynodiadau. Nid oes llyfr i'w ddarllen, ac nid oes cwrs i'w gwblhau. Nid oes angen dim byd ond ymroddiad, a'r un gofal a gostyngeiddrwydd ag a ddangosodd Sweet tuag at Gymraeg Nant Gwynant.

Ond does a wnelo'r ddisgyblaeth hon ddim byd ag iaith – mae'n wrthwyneb i weddi – er mai sŵn blêr a chreadigol y byd yw ei hamod. Ei nod yw clywed y distawrwydd sydd y tu hwnt i sŵn. A'r unig gyfarpar sydd ei angen yw llif-aer o'r ysgyfaint, a chlust ddeallus ac empathetig y Gwrandäwr.

Ar Blyg y Map

'The map? I will first make it.'

Patrick White, *Voss*

Byd wedi Crebachu oedd enw'r greadigaeth. Glob o bapur – map o'r Ddaear – a honno wedi'i sybachu bob siâp ac yn hongian yn simsan ar edau denau o'r to. Dyna oedd teyrnged yr artist, Craig Wood, i'r llenor hynod o Lanystumdwy, Jan Morris, adeg dathlu ei phen-blwydd yn 90 oed. O'r bedair teyrnged ar ddeg a gyflwynwyd iddi mewn arddangosfa arbennig ym Mhlas Glyn-y-Weddw ym mis Hydref 2016, efallai mai'r belen bapur hon a'i chartograffi blêr oedd y fwyaf addas a thrawiadol ohonynt oll. Wedi'r cyfan, mapiau o bob math fu'r ysbrydoliaeth i waith Jan Morris ar hyd ei bywyd, ac yn ei hanner cant a rhagor o gyfrolau, darllenodd fapiau a'u hailddarllen eto, creodd fapiau a'u hail-greu, dilynodd fapiau'n ofalus – a'u hanwybyddu hefyd yn llwyr. Ac yn gynyddol, cyfeiriodd ei sylw gwybodus a chydymdeimladol at y crychau a'r plygiadau yn y map; at y mannau hynny sydd fel petaent yn diflannu dan straen angen y cartograffydd am drefn, unffurfedd a thaclusrwydd.

Roedd yn briodol mai artistiaid Cymreig a gyflwynodd y deyrnged ben-blwydd i Jan Morris ar ddechrau ei degfed degawd gan na sylweddolwyd yn ddigonol, hyd yn hyn, faint cyfraniad hon, y fwyaf cosmopolitaidd o'n hawduron, i Gymru. Mae'r posibiliadau dychmygus, llenyddol a gwleidyddol a gyflwynodd ei gwaith i'r Cymry yn rhai gwerthfawr ac amserol, angenrheidiol, hyd yn oed. Ac yn mynd yn fwy felly. Nid cyd-ddigwyddiad oedd hi i Iwan Bala, curadur yr arddangosfa ac un arall o'n mapwyr creadigol, gyfrannu ei faplun eironig-eiconig, *Little (Great) Brexitia,* at yr arddangosfa hon a gynhaliwyd rai misoedd wedi'r refferendwm ar adael yr Undeb Ewropeaidd.

Myn Jan Morris ei hun mai bychan bach ('infinitesimal') fu ei chyfraniad hi i Gymru o'i gymharu â'r hyn a gafodd yn ôl gan y wlad a'i phobl. Ond daeth maint ei hymroddiad yn eglur yn ystod sgwrs â'i mab, Twm Morys, ar y soffa ym Mhlas Glyn-y-Weddw adeg agor yr arddangosfa, pan gydnabu mai'r Sul blaenorol, y diwrnod y derbyniodd Fedal y Cymmrodorion am gyfraniad nodedig i Gymru, fu diwrnod hapusaf ei bywyd.

Fel sawl cymwynaswr nodedig arall, dewis dod yn Gymraes a wnaeth Jan Morris. Fe'i bedyddiwyd yn James Morris, ac fe'i magwyd ar aelwyd Saesneg yng Ngwlad yr Haf (ei mam yn Saesnes a'i thad yn Gymro). Derbyniodd addysg drwyadl Seisnig yn ysgol fonedd Lancing College, Sussex, ac yng Ngholeg Eglwys Crist, Rhydychen; bu'n aelod o'r 9th Queen's Royal Lancers ar ddiwedd yr Ail Ryfel Byd, ac yn ystod y 1950au roedd yn newyddiadurwr llwyddiannus ar rai o bapurau mwyaf Lloegr megis *The Times* a *The Manchester Guardian*. James Morris, fel y gwyddom, oedd y cyntaf i anfon y newyddion am goncro Everest (Chomolungma / Sagarmatha) at y wasg Brydeinig ar ddiwrnod coroni'r Frenhines Elizabeth ym 1953.

Ar ddechrau'r 1960au daeth yn awdur llawn-amser a arbenigai ar ysgrifennu am leoedd ar draws y byd ac fe ymgartrefodd James, Elizabeth a'u pedwar plentyn yng Nghymru. Dyma'r adeg y dechreuodd ar gwrs o feddyginiaeth a'i galluogodd ym 1972 i dderbyn llawdriniaeth i newid ei rhyw a dod yn Jan, proses yr ymdriniodd â hi yn eofn a chalonogol yn y gyfrol *Conundrum* a gyhoeddwyd ddwy flynedd yn ddiweddarach. O'r cyfnod hwn ymlaen daeth i arddel ei Chymreictod yn fwy amlwg angerddol, coleddodd yr iaith

Gymraeg a'i diwylliant, a thrwythodd ei hun yn nhirweddau amrywiol y wlad i raddau helaethach na llawer o'r Cymry eu hunain. A gwnaeth Gymru yn fan cychwyn a gorffen ei holl deithiau: yn ei chyhoeddiadau niferus, yn ogystal ag mewn cyfweliadau yn rhyngwladol, pwysleisiodd mai o safbwynt Cymraes genedlaetholgar yr ysgrifennai, a chyflwynodd nifer o'i chyfrolau yn benodol i Gymru, megis y flodeugerdd swmpus o ysgrifau pum-degawd, *A Writer's World*, a gyhoeddwyd 'er anrhydedd Cymru', a'r gyfrol *The Matter of Wales*, a gyflwynwyd 'gyda chariad a diolchgarwch i'w destun'.

Mae'r Gymraeg hithau'n brigo yn y llefydd mwyaf annisgwyl ar deithiau Jan Morris, yn goslefu ei hymatebion i fannau anghysbell, 'subtly affecting the [...] sensibilities'. Pan gyhoeddwyd *A Machynlleth Triad* gan un o weisg grymusaf y byd Eingl-Americanaidd, Penguin, ganol y 1990au, cafwyd testun Cymraeg cyfochrog wedi ei lunio gan Twm Morys i daflu ei gysgod ar y Saesneg. Trwy gydol ei gyrfa hir a chyfoethog, dangosodd Jan Morris i'r byd fod Cymru'n bod, a bod ganddi ei hiaith a'i diwylliant byw yr oedd yr awdur ei hun yn gyfrannog ohono.

Ond nid cyflwyno Cymru i estroniaid yn unig a wnaeth cyfrolau fel *Wales, The First Place* (1982), *The Matter of Wales* (1984) ac *A Machynlleth Triad* (1994). Trwy'r gweledigaethau carismatig, dychmygus a gwybodus sydd ynddynt, llwyddodd Jan Morris i gyflwyno Cymru o'r newydd i'r Cymry eu hunain, gan wneud hynny ar adegau go dyngedfennol. Cyhoeddwyd *Wales, The First Place* a *The Matter of Wales*, er enghraifft, ar ddechrau'r 1980au: adeg a ystyrir yn gyfnod o ddadrith ac anobaith i lawer o genedlaetholwyr Cymreig yn sgil canlyniad refferendwm datganoli 1979; adeg o jingoistiaeth Brydeinllyd

Rhyfel y Malvinas (1982) ac o danseilio gwead cymunedau Cymreig yn sgil dirwasgiad economaidd, gan gynnwys streic y glowyr (1984-5). ('You contribute nothing,' oedd geiriau'r Prif Weinidog, Margaret Thatcher, am Gymru wrth Wyn Roberts yn y Swyddfa Gymreig ar y pryd.) Ond mae teitl *The Matter of Wales* ei hun yn fynegiant herfeiddiol ei bod hi 'ots' am Gymru, a manylder a dyfnder y sylw a roddir i hanes, diwylliant ac iaith Cymru yn act o brotest greadigol ar adeg pan oedd grymoedd gwleidyddol ac economaidd yn bygwth tanseilio hunaniaeth y wlad. Atgoffodd y gyfrol y Cymry eu bod nhw'n bod a pham yr oedden nhw'n bod. Ac roedd datganiad Jan Morris ar ddiwedd y gwaith bod Cymreictod – ie, hyd yn oed ym 1984 – yn beth ysgogol a chynhyrfus ('making the blood race and the adrenalin run') yn ddatganiad ysgogol a chynhyrfus ei hun, a'r ansoddair a ddefnyddiodd i nodweddu'r iaith Gymraeg ('indestructible'), yn her ar sawl lefel.

Cyhoeddwyd *A Machynlleth Triad* dair blynedd cyn yr ail refferendwm ar ddatganoli ym 1997 a'r canlyniad trwch-blewyn a arweiniodd at sefydlu'r Cynulliad yng Nghaerdydd. Mae rhywbeth proffwydol ym mhwyslais y gyfrol honno ar Fachynlleth fel canolbwynt Cymru, nid dim ond ar fap, ond yn wleidyddol hefyd: yma mae Jan Morris fel petai'n rhag-weld rhyw ganoli newydd a allai, yn eironig, ddod i fod yn sgil datganoli. 'Wales is essentially a centrifugal State,' meddir yn blwmp ac yn blaen wrth bortreadu'r ddarpar-wladwriaeth a geir yn rhan olaf y gyfrol. A hyd yn oed yn nyddiau Little Brexitia, efallai fod rhai ohonom yn ddigon optimistaidd i weld llygedyn o obaith yn y ddelfryd sy'n llunio diweddglo'r drindod honno, o'r Gymru annibynnol mewn Ewrop ffederal.

Fel y dengys y cyfrolau am Gymru, ac fel y gwelir yn ei

gwaith drwyddo draw, craidd a chalon menter lenyddol Jan Morris yw dyfnder y parch y mae hi'n ei roi i le – yn fan cyfarfod grymoedd hanes, gwleidyddiaeth, economeg yn ogystal â'r byd naturiol. Â hithau ati wedyn, wedi'i harfogi â gwybodaeth a gofal, i ddatod y cwlwm cymhleth hwnnw, a daw'r ymwybod â lle yn broses o ganfod y gweledig a darganfod yr anweledig, yn daith ymenyddol, synhwyrus a dychmygus sy'n creu undod rhwng y gwrthrychol a'r goddrychol. O safbwynt Cymru a'r Gymraeg, pan fo hanes a diwylliant yn gallu bod mor gêl, ac weithiau mor bersonol, mae'r ymwybod dwys â haenau anweledig lle yn dra gwerthfawr – y modd y sylwir ar yr hyn a aeth ar goll mewn cartograffi swyddogol, y mannau diflanedig 'ar blyg y map'. Soniodd Twm Morys yntau am y dull hwn o ymwybod â'r cêl, y personol, y diflanedig, yn ei gerdd, 'Darllen y map yn iawn':

> Cerwch i brynu map go fawr:
> Dorwch o ar led ar lawr.
>
> Gwnewch dwll pin drwy bob un 'Llan',
> Nes bod 'na dyllau ym mhob man.
>
> Cofiwch y mannau lle bu pwll
> A chwarel a ffwrnais, a gwnewch dwll...
>
> [...]
>
> A phan fydd tyllau pin di-ri,
> Daliwch y map am yr haul â chi.

A hwnnw'n haul mawr canol pnawn:
Felly mae darllen y map yn iawn.

Yn wir, gellid dadlau bod y gerdd hon, ynghyd â menter lenyddol Jan Morris hithau, yn rhan o linach o ymatebion creadigol Cymraeg i'r syniad o wirionedd mapiau (neu beidio). Yn ei ysgrif 'Mapostan', sy'n trafod ei fapiau dychmygus ef, dywedodd Iwan Bala: 'Geographic fact is not all that convincing in these maps.' Mynegodd Gwyneth Lewis, yn y gerdd 'Cân y Gwneuthurwr Mapiau', ei drwgdybiaeth hi o greadigaeth y cartograffydd sy'n 'dieneidio [...] â symbolau ffaith', gan fynnu nad 'gofal cariad sy'n y ddogfen hon'. A beth yw'r gerdd eiconig, 'Hon', gan T. H. Parry-Williams, ond dadl estynedig yn erbyn bychander Cymru 'ar fap'? Yn y gweithiau hyn, hoelir ein sylw dro ar ôl tro ar yr hyn sy'n cael ei lyncu gan arwynebolrwydd y papur, sy'n llithro o'r golwg i isymwybod ffurf.

Oherwydd cynodiadau arwynebol y label 'travel writer' y mynegodd Jan Morris hithau ei hanhoffter o gael ei galw'n hynny. Fodd bynnag, mae'n werth nodi bod rhai beirniaid yn mynnu y gall y *genre* hwn ar ei orau gynhyrchu llenyddiaeth ac iddi bosibiliadau rhyddfreiniol, yn enwedig yn ei hymdriniaeth ag olion imperialaeth: 'Contemporary travel writing operates in a contested, antagonistic and uncertain political terrain that is haunted by the logic of Empire,' meddai Debbie Lisle, er enghraifft, mewn cyfrol o'r enw *The Global Politics of Contemporary Travel Writing*. Dyma ddyfyniad y gellid ei gymhwyso'n rhwydd at waith Jan Morris: o holl lenorion Cymru, hi yw'r un sydd wedi ysgrifennu'n fwyaf gwybodus am imperialaeth. Gwnaeth hynny'n fwyaf amlwg yn y drioleg *Pax Britannica* a gyhoeddwyd yn ystod y 1960au a'r 1970au, lle darluniodd gynnydd a dadfeiliad yr Ymerodraeth Brydeinig yn fanwl a dychmygus, a hynny fel petai 'o'r tu mewn'. Mewn cyfweliad yn y *Paris Review* yn 1997, disgrifiodd ei hun, yn ei hieuenctid, yn gynnyrch nodweddiadol yr Ymerodraeth Brydeinig, a chydnabu iddi ddechrau ei gyrfa newyddiadurol yn gynrychiolydd yr ymerodraeth honno: 'I was brought up in a world whose map was painted very largely red, and I went out into the world when I was young in a spirit of imperial arrogance.' Wrth aeddfedu, fodd bynnag, a gwylio'r ymerodraeth honno'n dadfeilio, sylwodd ar yr arlliwiau cynilach, cyfoethocach yn y map unlliw, a dod i ymwybod â'r hyn a gelwyd, fel petai, yn y plygiadau: 'I began to see that my imperial cockiness was nonsense.'

Mae'r adnabyddiaeth ddofn o'r Ymerodraeth Brydeinig, sydd heb fod yn ddigydymdeimlad, ac eto'n cynnwys yr ymddieithrio a ddaw o sylweddoli gwagedd yr ymffrost imperialaidd, yn cyfuno i greu safbwynt defnyddiol inni Gymry. Gellid ei alw'n fath o 'weld dau' neu 'double vision' sy'n nodweddu'n profiad o fod wedi ein boddi yng ngwerthoedd ac arferion yr Ymerodraeth Brydeinig, ac eto, o fod wedi ein dieithrio oddi wrthi (oherwydd yr iaith Gymraeg a'i diwylliant, er enghraifft, a'n dealltwriaeth fodern o'n hanes ein hun). Hwyrach mai gwaith Jan Morris, o blith ein holl awduron, sy'n cyfleu'r 'gweld dau' hwnnw'n fwyaf trawiadol.

Mae diddordeb Jan Morris yn etifeddiaeth yr Ymerodraeth Brydeinig, boed hynny yn 'Sydney', 'Ceylon', 'Darjeeling', 'Hong Kong' – a Chymru hefyd, yn sail i ddiddordeb ehangach mewn ymerodraethau'n gyffredinol. Yn ei geiriau ei hun: 'There are many other places I like to go when I wish to sniff the imperial breezes.' Fe'i gwelir yn ei hysgrifau am Fenis, ymerodraeth

Awstro-Hwngari, y Dwyrain Canol, y Dwyrain Pell, De America, America a Chanada, ac wrth gwrs mae'n hydreiddio ei gwaith am ymerodraeth yr Undeb Sofietaidd pan oedd yn newyddiadurwr ar y *Guardian* yn ystod y 1960au. Daw'r 'gweld dau', felly, yn fethodoleg gymharol. Yr un yw'r strwythurau imperialaidd yn Fienna, Moscow a Llundain, ac yn yr un modd y maen nhw'n ymddatod yn Trieste, Tsiecoslofacia a Singapôr. Jan Morris yw ein hawdur ôl-drefedigaethol *par excellence*, yn tynnu'r egni a ddaw wrth i ymerodraeth ddatgymalu a'i ddargyfeirio tua ffurfiau newydd, a daw deinameg arbennig ei gwaith o'r frwydr rhwng y cosmopolitaidd a'r imperialaidd.

Y perygl yn hyn, fodd bynnag, yw y gallai'r gosmopolitaeth newydd ddod yn gymaint o hegemoni â'r hen, yn fap unffurf newydd, yn set o werthoedd gormesol ac uniongred sy'n rhoi bri slei ar 'the logic of Empire,' chwedl Lisle. (Enghraifft drawiadol o hyn yw'r modd y mae cyfrol sy'n arddel syniadaeth ôl-drefedigaethol fel *The Empire Writes Back* (1989), yn gorseddu hegemoni'r iaith Saesneg wrth geisio diorseddu'r un drefedigaethol, ac mae'n dueddiad sy'n nodweddu llawer o'r 'ysgrifennu taith' mwyaf arwynebol.) Prin y gellid dweud bod hynny'n wir am waith Jan Morris. Yn wir, o graffu, mae ei harddull lenyddol, er mor osgeiddig, yn llawn amwysedd a gwrthdaro mewnol, o wrth-ddweud, o amrywiaeth a lluosogrwydd, a ffurf ddrylliog yr ysgrif yn caniatáu iddi ddefnyddio nifer o dechnegau eraill sy'n tanseilio unffurfedd safbwynt. (Cofiwn ei bod yn nofelydd llwyddiannus hefyd – rhoddwyd ei nofel *Last Letters from Hav* ar restr fer gwobr Booker 1985 – a'i bod yn gwneud defnydd cyson o dechnegau ffuglen yn ei hysgrifau taith.) Mae'n ddull o weithio sy'n debyg i'r hyn y soniodd yr artist, Osi Rhys Osmond, amdano wrth iddo greu ymateb gweledol i dir, hanes a diwylliant Cymru yn ei deyrnged i'r bardd, R. S. Thomas: '*Graphic essays* or *graphic psycho-geography* is how I originally described this method of working: drawing, mapping, collaging, writing and layering past and present.'

Fersiwn llenyddol o hyn a geir yn ysgrifau Jan Morris. O ddarllen ysgrif fel 'Vienna 1983', er enghraifft, gwelir y dull hwn ar waith yn hynod effeithiol. Agorir â dyfarniad carlamus y weriniaethwraig Gymreig: 'Although I gratefully recognized its pleasures, I could not bring myself to like it. It was no place for a Welsh republican.' Eir ati i ategu hyn, trwy bwysleisio ffuantrwydd imperialaidd cylchffordd y Ringstrasse: 'Like some mad architect's dream fulfilled, its buildings rise one after another preposterously into view.' Y dyfarniad cosmopolitaidd syml yw bod yma ddinas na all ollwng gafael ar ei gorffennol ymerodrol: 'Vienna feeds upon its past, a fond and sustaining diet (varied with chocolate cake or boiled beef with potatoes).'

Hanner ffordd trwy'r ysgrif, fodd bynnag, ceir trobwynt. Daw duad y nos, ac mae adlewyrchiad goleuadau'r tramiau'n hofran fel ysbrydion aflonyddol dros bopeth. Gwelir rhith 'Professor Freud' yn crwydro'r strydoedd. A dyna ymagor i isymwybod y ddinas. Mewn sythwelediad disymwth, gwêl yr adroddwr fod Fienna'n 'one great conglomeration of neurosis'. Mae sicrwydd y safbwynt a geir ar ddechrau'r ysgrif wedi'i sigo, ei symlrwydd wedi ei gymhlethu, a dychweledigion y ddinas (Freud, Simon Wiesenthal yr erlynwr Natsïaid, Waluliso'r ecsentrig), yn ei chwalu'n ddarnau. Nid undod hunanbwysig mo dinas Fienna mwyach ond chwalfa niwrotig. 'Is there any city more seminally disturbing?' holir ar ddiwedd yr ysgrif, ac mae hyd yn oed yr adroddwr ei hun, erbyn hynny, yn llythrennol wedi'i hollti'n ddau:

> I looked up at the passing streetcar and distinctly saw there, just for a moment, my own face in its slightly steamed-up window. We exchanged distant smiles...

Wrth gydnabod a chyfleu lluosogrwydd a dyfnder Fienna, daw'r gosmopolitaeth a goleddir ar y dechrau yn rhywbeth mwy anniben, amwys ac anorffenedig erbyn y diwedd.

Yn wir, gellid dadlau bod Jan Morris yn awdur sy'n ymhyfrydu mewn annibendod ac yn ei weld, yn ddigon eironig, yn sylfaen i drefn. Fe'i gwelir yn nheitl ei hunangofiant, *Pleasures of a Tangled Life*, yn ogystal ag yn isdeitl un o benodau'r gyfrol *Europe*, y cyfandir yr ysgrifennodd fwyaf amdano: 'Mishmash... Europe's ethnic and geographical confusion, embracing frontiers, minorities, enclaves, islands, anomalies and miscellaneous surprises'. Beth yw hyn ond diléit mewn map sy'n grychau a phlygiadau i gyd?

Mae yna ryw angerdd rhyfeddol yn ei rhagymadrodd i'r gyfrol honno. Wedi'r cyfan, dyma ffrwyth ei myfyrdodau am y cyfandir hwnnw ers diwedd yr Ail Ryfel Byd, ac ynddi gwelir ei gobaith dwfn am barhad y sefydlogrwydd cymharol y llwyddwyd i'w sicrhau er 1945 trwy geisio parchu egwyddor undod mewn lluosogrwydd:

> ... at the end of the twentieth century Europe really is tentatively shuffling towards some kind of unity – the only adult objective for a mature community of neighbours.

Ond ceir epilog i'r gyfrol hefyd sy'n fwy melancolaidd ei naws ac fel petai'n bwrw amheuaeth ar yr optimistiaeth ddechreuol. Gweddi, yn hytrach na gobaith, a geir ar y diwedd: 'Just as I am yearning for the fulfilment of my small country, so I am impatient for the unity of my great continent.' A thinc o erfyniad, nid dathliad, sydd i'r gri ddiweddol, 'Viva Europa!'

Unwaith yn rhagor yn y gyfrol hon, gwelir gallu hynod Jan Morris, ar sail profiad, gwybodaeth a greddf, i ragargoeli'r hyn sydd yn yr arfaeth. Ugain mlynedd wedi llunio'r epilog i *Europe,* mae Ewrop hwyr-gyfalafol yr unfed ganrif ar hugain yn endid mwy sigledig a bregus nag y bu ers degawdau, ac imperialaeth newydd biliwnyddion byd, yn ogystal ag oligarchiaeth Rwsia a Tsieina, yn gwneud eu gorau i'w danseilio er eu budd eu hunain. Ni ellir ond teimlo, gydag ias, y down i ystyried *Europe* Jan Morris cyn hir yn gofnod hanesyddol o oes sefydlog a fu – ac a ddarfu. A bod y map ar newid eto…

I harbwr Trieste y denwyd Jan Morris yn ôl wrth lunio'r rhagymadrodd hwnnw. Am ei bod wedi symud ar draws ffiniau cenedlaethol / gwladwriaethol mor aml nes gwneud y ffiniau hynny bron yn ddiystyr, daeth Trieste-Triest-Trst yn fath o ddelfryd iddi, yn ymgorfforiad o'r cyflwr o fod 'ar blyg y map'. Tynged y ddinas hon fu cael ei bwrw hwnt ac yma ar fapiau ar hyd y canrifoedd: o anheddiad cynnar llwythau'r *Illyri,* trwy goncwestau'r Rhufeiniaid a Siarlymaen, cysgod trwm Fenis, ei datblygu'n brif borthladd Ymerodraeth Awstria-Hwngari am ganrifoedd, hyd at ei rhoi wedi'r Rhyfel Mawr yn nwylo'r Eidal, ei meddiannu wedyn gan y Natsïaidd yn ystod yr Ail Ryfel Byd, a'i rhannu a'i hailfeddiannu o'r newydd wedi hwnnw, yn yr ymrafael rhwng Dwyrain a Gorllewin…

Yn y gyfrol *Trieste and the Meaning of Nowhere,* sef hoff gyfrol

Jan Morris o'i gwaith ei hun, dethlir y gosmopolitaeth unigryw, oddefgar, gymysg sy'n nodweddu cymeriad y ddinas. Dyma'r 'Triesticity' sy'n cofleidio undod trwy nacáu unffurfedd, sy'n coleddu amwysedd trwy arddel annibendod. A does dim dwywaith i'r 'Triesticity' hwn gael ei atgyfnerthu gan ymwybyddiaeth Gymreig a Chymraeg Jan Morris hefyd: yn ronyn o dywod sy'n rhygnu ym mecanwaith unrhyw rym unffurfiol, yn cyfoethogi ei hymateb i'r byd ac yn dyfnhau ei chydymdeimlad â'r ddynoliaeth yn ei holl amrywiaeth a'i hannibendod. Cynhwysodd y profiad Cymreig (a Chymraeg) – yn ei fanylder ac yn ei amrywiaeth – yn rhan o batrymau tebyg yn fyd-eang.

Yn ei geiriau ei hun: 'I think that travel has been a kind of search for that, a pursuit for unity and even an attempt to contribute to a sense of unity.' Gwnaeth Jan Morris fater Cymru yn fater i'r byd; y byd blêr sy'n hongian yn simsan ar edau denau o'r to; glob o bapur, a hwnnw'n ddim byd ond plygiadau.

Mae Karl Marx yn 200 oed

Dinas dlos, ddi-sôn-amdani ar lannau afon Mosel ydi Trier, a'r bryniau o'i chwmpas yn rheseidiau unionsyth o winwydd, deunydd crai'r gwin aur, mawr-ei-fri. Hon ydi dinas hynaf yr Almaen, meddan nhw, a dan yr enw Augusta Treverorum, hi oedd prifddinas ogleddol yr Ymerodraeth Rufeinig; mae olion yr awdurdod hwnnw'n dal yn frith hyd-ddi, yn waliau atgyweiriedig y basilica, baddondai'r ymerawdwr, yr amffitheatr a'r horwth Porta Nigra sy'n tywyllu pen yma'r stryd fawr.

Yn fwy diweddar, gall Trier hawlio'r fraint o fod yn dref enedigol Karl Marx a aned yma ar 5 Mai 1818. Eleni, hi ydi canolbwynt dathliadau byd-eang i goffáu daucanmlwyddiant geni'r athronydd a'r economegydd y bu cyfran sylweddol o'r byd, tan yn gymharol ddiweddar, yn byw dan systemau gwleidyddol a darddodd yn uniongyrchol o'i syniadau. Mynegwyd y rheiny'n fwyaf enwog yn y *Maniffesto Comiwnyddol* (1848) a *Das Kapital* (1867), gweithiau chwyldroadol a fu hefyd yn sylfaen i'r mudiad llafur ac sydd bellach ar restr UNESCO o Ddogfennau Treftadaeth y Byd. Mae rhaglen swyddogol y daucanmlwyddiant yn Trier yn rhestru rhyw *chwe chant* o ddigwyddiadau dros y misoedd nesaf sy'n dathlu, trafod a dadansoddi bywyd a gwaith Marx, gan gynnwys arddangosfeydd cynhwysfawr, darlithoedd, sgyrsiau, ffilmiau, teithiau cerdded, perfformiadau theatrig (*Marx! Love! Revolution!*), sgwadiau sgwennu, talyrnau barddoniaeth, helfeydd trysor, sesiynau coginio, *cabarets,* a hyd yn oed sioeau cerdd (*Come back, Karl Marx! Ein lustiges Rockmusical*).

Nid felly y bu. Chwarter canrif yn ôl, roeddwn yn byw yma, yn fyfyrwraig am flwyddyn ym Mhrifysgol Trier ac yn lletya ar y campws newydd nid nepell o'r dref. Gwelais boster du-a-gwyn Karl Marx mewn caffi a phenderfynu mai dyna'r union beth roedd ei angen arnaf i addurno wal foel fy llofft. Wedi'r cwbl, roedd o'n hogyn lleol, edmygwn ei syniadau, ac (o edrych yn ôl), roedd rhywbeth am led y pen a'r aeliau gwrychiog a'm hatgoffai o'm tad, un arall o fabis dechrau mis Mai. Felly, dyma alw yn Swyddfa Groeso'r dref a gofyn am boster mawr o Karl Marx. Gwridodd y wraig y tu ôl i'r ddesg ac ochrgamu at ei chydweithwraig. Sibrwd trwy ddannedd. Edrychodd y llall arnaf trwy gil ei llygad a thros goes ei sbectol yr un pryd. Dod gam yn nes. Gwyro tuag ataf. A rhoi gwybod i mi yn reit eglur nad oedden nhw'n 'stocio pethau fel'na yn fan hyn'.

Nid gormodiaith fyddai dweud bod gan y Trier Gatholig, geidwadol a adwaenwn yn 1992 gywilydd o Karl Marx. Safai'r cartref genedigol yn amgueddfa ddirodres ar stryd gul y Brückenstrasse, rywle rhwng sgwâr y farchnad ac Aldi, a phrin y sonnid amdano fel arall. Pan awgrymwyd newid enw'r brifysgol i Karl-Marx-Universität tua'r un pryd, bygythiodd staff yr Ysgol Fusnes ac Ysgol y Gyfraith ymddiswyddo yn un haid.

Dair blynedd ynghynt, ddiwedd 1989, roedd wal Berlin wedi disgyn a'r drefn Gomiwnyddol yn nwyrain Ewrop wedi datgymalu. O fewn deuddeg mis i hynny roedd dwyrain a gorllewin yr Almaen yn un. Erbyn i mi adael Trier yn haf 1993, gallwn gyfrif ymhlith fy ffrindiau rai a fagwyd ac a addysgwyd yn y ddwy Almaen ar wahân, ond a astudiai am radd prifysgol mewn Almaen unedig. Hyd yn oed bryd hynny, mor gynnar wedi'r gorfoledd, doedd barn y dwyreinwyr am gwymp y llen haearn ddim yn syml nac yn unffurf. Ac nid hiraeth sentimental (a alwyd mor nawddoglyd wedyn yn *Ostalgie*) ydoedd, ond y sylweddoliad parod fod colledion, yn ogystal â budd, wedi dod o ymuno â threfn gyfalafol y Gorllewin ac nad oedd pethau 'yma' yn fêl i gyd chwaith. Yn Nhrier ei hun, fodd bynnag, a thu hwnt, roedd enw Karl Marx, tad Comiwnyddiaeth, yn anathema.

Hawdd dychmygu fy syndod, felly, o gael achlust o'r dathliadau mawr a oedd ar droed yn ei dref enedigol i goffáu daucanmlwyddiant ei eni bum mlynedd ar hugain yn ddiweddarach. Pan ddaeth y rhaglen swyddogol swmpus, 56-tudalen, a chanddi glawr coch llachar, trwy'r post, trodd fy sioc yn anghrediniaeth. Doedd dim amdani ond derbyn gwahoddiad fy ffrindiau, Frank a Bettina, a mynd yno i weld drosof fy hun. A dyma gamu dan fwâu tywyll y Porta Nigra am un o'r gloch ar 5 Mai eleni – yn union mewn pryd i weld tynnu'r llen sidanaidd goch oddi ar gerflun enfawr Karl Marx, a hynny dafliad carreg o'r Swyddfa Groeso lle bu gynt mor ddirmygedig. Roedd yno ddwsinau o gamerâu teledu a newyddiadurwyr, cannoedd ar gannoedd o bobl yn codi baneri coch bob yn ail â ffonau symudol, a dwsinau o heddweision. Rhodd oedd y cerflun gan lywodraeth Tsieina, a hwnnw wedi'i gomisiynu o law Wu Weishan, cerflunydd amlycaf Gweriniaeth y Bobl. Cafwyd areithiau maith gan wleidyddion a phwysigion, gan gynnwys Jean-Claude Juncker, Llywydd y Comisiwn Ewropeaidd, ynghyd â diplomyddion Tsieineaidd, a phan ddadorchuddiwyd y Marx efydd, arwrol, pymtheg troedfedd o uchder, llanwyd y sgwâr â bonllefau a chymeradwyaeth fyddarol. (Mae'r olygfa hynod i'w gweld ar Youtube.) Weddill y pnawn safai rhesi o bobl o bob oedran, lliw a llun, yn aros yn amyneddgar i gael tynnu eu llun wrth draed y meistr.

Ond roedd yno brotestiadau hefyd: yn erbyn Marx ei hun, yn erbyn Comiwnyddiaeth, yn erbyn Tsieina, yn erbyn awdurdodau Trier am dderbyn y fath rodd gan wladwriaeth mor ormesol, ac yn fwyaf trawiadol gan amddiffynwyr y sect grefyddol Falun Dafa (neu Falun Gong), yr honnir yn frawychus bod llywodraeth Tsieina yn arestio ac yn dienyddio'i haelodau wrth y degau o filoedd er mwyn cynaeafu eu horganau. Roedd crysau a baneri melyn y protestwyr hynny'n cyferbynnu'n amlwg â'r lliw coch a lanwai'r strydoedd; ac elfen bellach yn y cymhlethdod oedd y si mai'r CIA a noddai brotest dawel, ond hynod dreiddiol, y Falun Dafa yn Nhrier trwy gydol y penwythnos.

Ond Marx ei hun oedd y presenoldeb amlycaf yn Nhrier y diwrnod heulog a chofiadwy hwn. Prin y gallwn gredu fy llygaid. Codai'r eicon barfog ei ben ymhobman: ar gardiau post, mygiau, magnedau oergell a thynwyr corcyn, ar ddillad mewn ffenestri siopau ac ar jygiau cwrw ar ymyl stryd. Gwelais fisgedi Karl Marx yn cael eu gwerthu a'u bwyta, yn ogystal â chacennau a siocledi drudfawr. Roedd masnachwyr Trier yn ei gwneud hi'n dda. Chwifiai ffotograffau o deuluoedd Marx presennol Trier (neb ohonynt yn perthyn) ar faneri tebyg i ddillad gwely uwchlaw sawl stryd, a gwelais blant o'r Kindergarten lleol yn mynd ar helfa drysor i gasglu pennau barfog, fel petai'r rheiny'n wyau Pasg. Y syndod mwyaf oedd gweld bod yr ardal o gwmpas tŷ genedigol Marx yn y Brückenstrasse wedi ei hailfedyddio'n *Karl-Marx-Viertel*, lle'r oedd y goleuadau croesi stryd yn dangos Karl bach coch (a'i freichiau ar led) i'ch dal yn ôl, a Karl bach gwyrdd (ar gerdded) a'ch galluogai i groesi.

Neilltuodd pedair amgueddfa fwyaf Trier eu gofod i'r daucanmlwyddiant, gan gynnwys – yn rhyfeddol, o gofio gwrthgrefyddolder creiddiol Marcsaeth – amgueddfa'r eglwys gadeiriol Gatholig, y Museum am Dom. Ond uchafbwynt y cyfan i mi, heb os, oedd yr arddangosfa swmpus am fywyd ac amserau Marx yn amgueddfa'r Simeonstift, lle cefais wrando ar y curadur, Elisabeth Dühr, yn trafod nid yn unig gynnwys yr arddangosfa gyfoethog hon, ond y gwaith dwy flynedd o'i chynnull hefyd.

Daeth yn amlwg i Trier ei fagwraeth fod yn allweddol yn ffurfiant Marx. Rabiniaid oedd ei gyndeidiau ar y ddwy ochr, ond twrnai uchelgeisiol yn Nhrier ei hun oedd tad Karl, a ymgristnogodd er mwyn gallu parhau â'i yrfa gyfreithiol, gan newid ei enw o'r Hirschel Iddewig i'r Heinrich mwy derbyniol. Eto, nid lle ceidwadol oedd Trier dechrau'r bedwaredd ganrif ar bymtheg. Yn wir, ystyrid mai hi oedd tref fwyaf trafferthus a gwrthryfelgar teyrnas Prwsia. Bu'n eiddo i Ffrainc yng nghyfnod Napoleon, a daeth o dan ddylanwad delfrydau rhyddfrydol y *code civil* a ysbrydolwyd gan Chwyldro 1789, gan gynnwys goddefgarwch crefyddol, rhyddid y wasg a hawliau cyfansoddiadol yr unigolyn. Yn gyndyn y gollyngodd Trier ei gafael ar y delfrydau hynny pan ddaeth yn ôl i feddiant Prwsia ffiwdalaidd ym 1815, dair blynedd cyn geni Marx. Yn ei ieuenctid, daeth yntau dan ddylanwad syniadau blaengar ei brifathro, Hugo Wyttenbach, sylfaenydd y Casino Club lle deuai dynion goleuedig Trier ynghyd i drin a thrafod materion y dydd ac a oedd yn ddraenen yn ystlys yr awdurdodau. Yn Nhrier hefyd y daeth Marx i gysylltiad â theulu rhyddfrydig a llengar y Barwn Ludwig von Westphalen, a buan y daeth Jenny, merch Ludwig, yn gariad i Marx, ac yn ddiweddarach yn wraig iddo. Bu'n gefn i'w gŵr trwy holl flynyddoedd cythryblus eu halltudiaeth, a da oedd gweld Jenny'n cael dyledus barch yn yr arddangosfa hon.

Dangosai'r arddangosfa fod 80% o boblogaeth Trier adeg plentyndod Marx yn byw mewn tlodi difrifol, sefyllfa y sylwai yntau arni'n ddyddiol. Dwysawyd y tlodi pan basiodd Prwsia ddeddf yn gwahardd hel coed tân oddi ar lawr y coedwigoedd, hen arfer canrifoedd a gadwai'r tlodion rhag fferru trwy'r gaeafau hir. Tad Marx oedd un o'r cyfreithwyr a amddiffynnai'r rhai a gyhuddid o ddwyn y mân goediach, ac a geisiai eu gwarchod rhag carchar – yn ofer, yn aml.

O Trier, aeth y Marx ifanc, disglair i gyfres o brifysgolion (Bonn, Berlin, Jena), gan gythruddo'i deulu trwy esgeuluso'i astudiaethau yn y gyfraith, mynd i ddyledion mawr, meddwi, ymgleddyfa a chwffio ar y stryd. Treuliai ei amser hefyd yn nofela ac yn barddoni (yn bur aflwyddiannus), ac yn ymhél â chymdeithion gwleidyddol amheus megis Bruno Bauer a chriw'r Hegeliaid Ifanc. Daeth i ymddiddori fwyfwy mewn syniadau radicalaidd, a thrwy fynd i'r afael yn bennaf â dilechdid Hegel a gwrthgrefyddolder Feuerbach, dechreuodd ddatblygu ei fydolwg materolaidd ei hun, proses hirdymor a'i harweiniodd yn gynnar at y casgliad bod angen, yng ngeiriau Howard Williams yn ei gyfrol amdano, 'nid yn unig ddeall y byd yn ei wrthddywediadau, ond hefyd ei chwyldroi yn ymarferol'.

Er iddo ennill doethuriaeth ar waith yr athronydd Groegaidd Epicwrws, doedd dim gobaith am yrfa academaidd ac yntau'n feirniad mor hallt ar ddogmatiaeth gul gwladwriaeth Prwsia. Ymroddodd, felly, i newyddiadura, gan gyfrannu at bapur newydd rhyddfrydol y *Rheinische Zeitung* yn Köln a dod yn olygydd mentrus a llafar arno o fewn ychydig fisoedd. Mynegai farn herfeiddiol ar bynciau gwleidyddol ac economaidd y dydd, gan gynnwys arddel achos gwneuthurwyr gwin ei ardal enedigol a drethid hyd at yr asgwrn, nes bod y diwydiant cyfan ar fin methdalu. Buan yr aeth i drybini â'r sensoriaid, a chaewyd y papur i lawr ddwywaith. A dyna ddechrau patrwm bywyd teulu Marx o hynny ymlaen: bywyd o alltudiaeth hyrddiol (ym Mharis, Brwsel, ac yn derfynol yn Llundain), a chael eu herlid o wlad i wlad gan awdurdodau a oedd yn gynyddol nerfus ynghylch berw chwyldroadol Ewrop y 1840au – a Marx ei hun yn un o ladmeryddion pennaf y berw hwnnw.

Hwn hefyd oedd cyfnod ymwneud cynyddol ac allweddol Marx â Friedrich Engels, y cymdeithasegydd a rannai ei ddiddordeb mewn economeg wleidyddol, ynghyd â'i obeithion am chwyldro, ac a ddefnyddiai ei gyflog o'i ffatri gotwm deuluol ym Manceinion i atal y Marxiaid rhag llwgu. Ond er gwaethaf cefnogaeth Engels, truenus oedd bywyd Karl a Jenny yn eu llety cyfyng yn Dean Street, Soho, a'r tad cariadus ond digyflog yn treulio'i ddyddiau yn narllenfa'r Amgueddfa Brydeinig yn llunio'i ddamcaniaethau economaidd, neu'n ceisio gosod y Gynghrair Gomiwnyddol gwerylgar ar ei thraed. Collodd Jenny ei holl drysorau teuluol i'r siop wystlo ac roedd y teulu'n aml ar eu cythlwng. Bu farw pedwar o'r plant gan adael dim ond tair merch, Jenny fach, Laura ac Eleanor, i gynnal fflam achos eu tad.

Hyd yn oed pan wellodd amgylchiadau ariannol y Marxiaid yn ystod y 1860au yn sgil cyfres o gymynroddion, a'r teulu'n gallu symud i dŷ cysurus yn Maitland Park, profodd yr economegydd mawr nad oedd yn fawr o gop gyda phres. Gwariai'n ffri ar foethau amhroletaraidd megis siampên a gwin claret, sigârs o Hafana, gwyliau teuluol dosbarth canol ar lan y môr yn Ramsgate, addysg fonedd i'w ferched, ynghyd â dawns grand iddynt ac i hanner cant o'u ffrindiau, ac yn fwy rhyfeddol fyth, ar fuddsoddi yn y farchnad stoc. 'Whenever he did get his hands on a fistful of sterling, he spent recklessly, with no thought for the morrow,' meddai Francis Wheen yntau yn ei gofiant iddo. Mae'n anodd dychmygu neb mwy anghymwys i ymdopi â chyfyngiadau a disgyblaeth lem Comiwnyddiaeth ymarferol, na neb a fyddai wedi strancio'n fwy yn erbyn unrhyw unbennaeth (broletaraidd neu beidio). Yn sicr, cymeriad go gymhleth oedd y Karl Marx a gyflwynwyd yn arddangosfa'r Simeonstift: athrylith tanllyd, anoddefgar ac anystywallt, a oedd hefyd yn gariadus, poenus ac, ar adegau, yn hynod hoffus.

Arddangosfa o fath arall a gafwyd yn y Karl-Marx-Haus yn y Brückenstrasse, a honno'n craffu'n fanylach ar syniadau Marx a'r defnydd a wnaethpwyd ohonynt. Wrth i'r syniadau hynny drosi o fod yn ddamcaniaethau i egwyddorion gwleidyddiaeth dorfol, roedd symleiddio a llurgunio'n anochel. Perthynas ddyrys fu gan Marx o'r dechrau â'r rhai a arddelai ei syniadau – arwydd pellach o'i gymeriad pengaled a chroes, efallai, ond hefyd o'i bryder y gellid camddehongli ei waith a'i gamddefnyddio. (Pan glywodd am grŵp o Farcsiaid brwd yn Ffrainc, mynnodd wrth Engels: 'Yr unig beth dwi'n ei wybod ydi nad ydw i yn Farcsydd!') Dangosodd hanes inni mai cyfiawn oedd y pryder hwnnw. Yn y ganrif a hanner a aeth heibio ers cyhoeddi *Das Kapital*, daethpwyd i gysylltu enw Marx â rhai o erchyllterau mwyaf yr ugeinfed ganrif, yn gyfiawnhad dros filiynau o lofruddiaethau – yn Tsieina, yr Undeb Sofietaidd, Cambodia, ac mewn gwledydd eraill ar draws y byd – yn ogystal â gorthrwm gwleidyddol a chymdeithasol dychrynllyd. Ni ellir ond cytuno â Wheen pan ddywed y byddai Marx ei hun wedi brawychu o wybod am yr holl anfadwaith a wnaed yn enw ei syniadau llygredig: 'The bastard creeds espoused by Stalin, Mao or Kim Il Sung treated his works rather as modern Christians use the Old Testament: much of it simply ignored or discarded, while a few resonant slogans are wrenched out of context [...] then cited as apparently divine justification for the most brutal inhumanities.' Yn rhyfedd iawn, cefais arlliw o'r dehongli dethol hwnnw ar waith yn y Karl-Marx-Haus ei hun. Roedd y tŷ'n orlawn o bwysigion Tsieineaidd a fynnai gael tynnu eu llun yn cofleidio penddelw Marx yn y cowt canolog. Ond pan dynnais innau lun y tynnu llun (fel petai), daeth gwas y pwysigion Tsieineaidd ar fy ôl a mynnu'n ddig fy mod yn '*delete the photos, delete the photos*' (gynt, byddid wedi rhwygo'r ffilm o fol y camera). Dilynwyd fi gan drem galed y gŵr weddill yr ymweliad, gan gynnwys pan oeddem i gyd yn darllen hanes brwydrau Marx â sensoriaeth wladol.

Roedd arddangosfa'r Karl-Marx-Haus yn dra awyddus i dynnu gwahanfur rhwng syniadau Marx a'r cyfundrefnau totalitaraidd a seiliwyd arnynt yn ddiweddarach, a does dim dwywaith nad oedd llawer o'r damcaniaethau'n rhy amwys, aflonydd ac anorffenedig i fod yn sylfaen gadarn i unrhyw drefn ymarferol, yn rhan o sgwrs ddilechdidol Marx â hanesyddiaeth y Chwyldro Diwydiannol. Gwelwyd yn yr arddangosfa sut y golygai ac ailolygai ei waith yn barhaus, a phwysleisiwyd yma (fel yng nghyfrol fanwl Gareth Stedman Jones, *Karl Marx: Greatness and Illusion*), rôl mor allweddol fu gan Engels, wedi marwolaeth Marx, yn olygydd ei waith: taclusodd, dehonglodd a lledaenodd Engels syniadau ei gyfaill, a'u dwyn yn nes at syniadau llywodraethol eraill diwedd y bedwaredd ganrif ar bymtheg, Darwiniaeth a phositifiaeth yn enwedig. Ychwanegodd Lenin, Stalin, Mao Zedong ac eraill eu deongliadau eu hunain at y potes. Ond os cafodd Marx ei gamddehongli, a oedd sail i'r camddeongliadau hynny? Er bod trais brawychol yn wrthun ganddo (bu'n hallt ei feirniadaeth ar Jacobiniaid Chwyldro Ffrainc, er enghraifft), teg yw cofio ei fod yn ei hanfod yn chwyldroadwr a bod ei waith drwodd a thro'n argymell defnyddio grym a thrais i ddymchwel trefn er mwyn gorseddu trefn newydd. Anecdot arwyddocaol yw honno amdano'n cael ei holi gan ei ferched beth a'i gwnâi'n fwyaf hapus. Yr ateb: 'Ymladd.' Ac yn fwyaf anhapus? 'Ildio.'

Wrth nesáu at ddiwedd yr arddangosfa, gan ddod at gyfnod Gweriniaeth Ddemocrataidd yr Almaen (DDR), cwymp y llen haearn a'r Ewrop a fu gennym ers hynny, dechreuais innau bendroni drachefn am y newid yn statws Karl Marx dros y chwarter canrif y bûm i ffwrdd o Drier. Tybed ai dim ond y pellter amseryddol diogel rhwng y presennol a chyfnod ei ddylanwad yn nwyrain yr Almaen oedd i gyfrif am y bri newydd a roed arno? Ynteu a oedd Trier o'r diwedd yn rhoi'r parch dyledus i'w mab afradlon? Y meddyliwr llachar, treiddgar a'r sgwennwr dawnus, carlamus a ysbrydolodd gymaint o waith arloesol, nid yn unig ym maes economeg, ond mewn hanes, llenyddiaeth a'r celfyddydau hefyd (meddylier, yng Nghymru yn unig, am feirniadaeth Raymond Williams, hanesyddiaeth Gwyn Alf Williams, doethuriaeth Dafydd Elis Thomas, cerddi Niclas y Glais a nofelau Gareth Miles a Wiliam Owen Roberts, ymhlith eraill). Ynteu ai tybed achos bod gwaith Marx, heddiw, yn yr oes o gyfalafiaeth front yr ydym yn byw ynddi, yn fwy perthnasol nag erioed, a'i bwyslais ar ddieithriad y gweithlu yn boenus o gyfoes? Pan fo cyfran sylweddol o bobl fy nhref fy hun, Caernarfon, yn ddibynnol ar fanciau bwyd i gynnal eu teuluoedd ac yn methu fforddio prynu powdr golchi neu hyd yn oed docyn bws, dydw i'n rhyfeddu dim o glywed bod mwy o werthu ar *Das Kapital* nag a fu ers blynyddoedd maith, a hynny ddwy ganrif gyfan wedi geni ei awdur athrylithgar, anniben ac angerddol.

Rhoi a Rhoi

Mae Friederike Mayröcker a Maruša Krese yn ddwy o lenorion mwyaf trawiadol Ewrop gyfoes. Ganed Mayröcker yn 1924 yn Fienna lle mae hi'n byw hyd heddiw. Ganed Krese yn Ljubljana yn 1947 lle bu farw yn 2013. Mae tair blynedd ar hugain a ffin genedlaethol yn gwahanu'r ddwy ohonynt, felly – a mwy na hynny hefyd, gan gynnwys dwy famiaith wahanol (yr Almaeneg a'r Slofeneg), ac arddulliau llenyddol sydd am y pegwn â'i gilydd. Ond yr un yw ehofndra'r ddwy a'r un yw eu mentergarwch. A'r un yw 'nghymhelliad innau dros eu cyfieithu, mae'n debyg, sef rhoi ac ennyn sylw i'w gwaith.

Ond mae cyfieithu'n beth amryfal, yn enwedig cyfieithu llenyddol, ac mae'r rhoi a ddaw yn ei sgil yn rhagorach na hynny. Fel gyda phob rhodd, mae'r rhoddwr hefyd yn cael rhywbeth yn ôl. Dyna gymhelliad pellach. Wrth gyfieithu iddi, rhoddir rhywbeth i'r Gymraeg a'i llenyddiaeth. Rhoddir profiadau a geiriau dieithr i'w darllenwyr, a rhoddir pleser i'r cyfieithydd. Yn wir, wrth i'r cyfieithydd lafurio ag adnoddau ei iaith ei hun, bydd yr iaith honno'n gorfod rhoi er mwyn dygymod â'r dieithrwch. Caiff ei hymestyn a'i hystwytho. Bydd ei gorwelion yn cael eu hehangu. Yn achos Mayröcker a Krese, mae'r ymestyn, yr ystwytho a'r ehangu gorwelion a ddaw yn sgil cyfieithu eu gwaith yn hynod ddadlennol. Mae'r rhoi yn rhoi mawr ac yn dod yn fath o fywydu.

Fel y gwelir o'r darnau a gyfieithwyd isod, mae eithafrwydd ymgodymu Friederike Mayröcker ag adnoddau ei hiaith ei hun yn rhoi her enfawr i gyfieithydd, ac yn golygu bod yr iaith y cyfieithir iddi – y Gymraeg yn yr achos hwn – yn gorfod rhoi i'r eithaf yn y broses. A hithau wedi datblygu'n llenor yng nghwmni beirdd concrid eiconoclastig Fienna wedi'r Ail Ryfel Byd, mae gwaith Mayröcker yn gofyn i'r darllenydd roi o'i oddefgarwch a'i amynedd wrth i'r awdur, bob tro o'r newydd, lafurio i ganfod y geiriau a'r cystrawennau cywiraf i fynegi profiad a natur profiad.

Dyma fath o sgwennu a elwir yn 'arbrofol', ac mae'r gair Cymraeg hwnnw'n cyfleu i'r dim ei fentergarwch. Mae pob testun o eiddo Mayröcker yn arbrawf gan ei fod yn ceisio profi rhywbeth newydd: hynny yw, tystio iddo, yn ogystal â'i flasu. Mae geiriau a chystrawennau'n wastad ar brawf ganddi a chwestiynir bob tro o'r newydd allu iaith i fynegi yn eirwir. *Sprachskepsis* (amheuaeth ynghylch iaith) yw'r term athronyddol Almaeneg am y meddylfryd hwn, ond mae'n fath o ffydd mewn iaith yn ogystal. Mae'r gair 'profiad' yn perthyn i'r gair 'arbrofol' hefyd: prif nodwedd gwaith Mayröcker yw ei bod yn fodlon archwilio profiad yn ei gyflawnder – cymhlethdod byw bob dydd, ymgordeddiad ein bydoedd mewnol ac allanol, awgrymusrwydd iaith a'i pherthynas gymhleth â chanfyddiadau'r synhwyrau, a distawrwydd hefyd. Ceisia hithau fynegi hyn oll yn eirwir heb gyfyngu ar ei gymhlethdod yn yr ymdrech i'w ffitio i rigolau 'ystyr' cyfarwydd.

Bob dydd, yn ei fflat chwedlonol yn ardal Margareten yn Fienna, mae Mayröcker yn codi'n ddyddiol gyda'r wawr er mwyn ymgodymu o'r newydd â chyfieithu dwyffordd y berthynas rhwng iaith a phrofiad byw. Defnyddia ddelweddau, cyfeiriadau, dyfyniadau, atgofion, a holl adnoddau iaith (yn sain, yn wedd, yn dalpiau o ystyr), i geisio cyfryngu ei phrofiad ei hun, gan wrthod ymelwa ar ddoethineb y dydd blaenorol, hynny yw, hen glymau cyfleus iaith ac ystyr.

Aeth yr arbrofi'n ddwysach wrth iddi heneiddio, gan fynd â hi at gyrion eithaf iaith, yn enwedig ers y flwyddyn 2000, pan fu farw Ernst Jandl, y bardd concrid poblogaidd, ei chymar oes y sigwyd hi i'r eithaf gan ei galar amdano. Cerddi o alar am Jandl a gyfieithwyd gennyf i isod, ac mae brwydr Mayröcker i fynegi ei chwalfa feddyliol yn sgil ei phrofedigaeth yn amlwg ynddynt. Haws efallai, o ganol chwalfa o'r fath, fyddai cadw at batrymau sefydledig marwnadu galarus, neu hyd yn oed dewi'n llwyr. Ond dal ati â'i harbrofi poenus ar ffiniau eithaf iaith ac ystyr a wnaeth Mayröcker, a dyna a wna o hyd, a hithau bellach yn tynnu at y cant oed. 'Dydw i ond megis dechrau,' meddai mewn cyfweliad adeg dathlu ei phen-blwydd yn naw deg. 'Rydw i yn erbyn marwolaeth ac yn sgwennu i geisio'i herio fo.'

Fel yr awgrymwyd, mae gwaith Mayröcker yn anodd yn y gwreiddiol. Mae'n anos byth ei gyfieithu, gan fod pob cyfieithu'n golygu dehongli – canfod patrymau ystyrlon, dadamwyso – tra bo gwaith Mayröcker yn brwydro yn erbyn y tueddiad i symleiddio profiad yn gystrawen gyfarwydd. Fel eu cymheiriaid Almaeneg, bydd raid i ddarllenwyr Cymraeg roi o'u cywreinrwydd a'u hamynedd er mwyn dygymod â'r dieithrwch. Nid pawb fydd yn dymuno rhoi, nac yn ei werthfawrogi chwaith, ac i rai, ni fydd testun Mayröcker – mwy na'i gyfieithiad – yn ddim byd ond ymarferiad ieithyddol seithug. Ond i mi, mae arbrofion llenyddol Mayröcker yn dangos pa mor bell y gellir ymestyn, ystwytho ac ehangu gorwelion iaith a llenyddiaeth, gan gyfoethogi ein dealltwriaeth o natur profiad (a natur iaith) yr un pryd. Maent hefyd yn dyst i ddyfalbarhad rhyfeddol. Enillodd Mayröcker lu o wobrau a pharch rhyngwladol dros y blynyddoedd (gan gynnwys enwebiad Gwobr Nobel). Ond enynnodd hefyd lawer o ddirmyg a gwawd, a chyhuddiadau lu o fod yn hermetaidd, yn chwerthinllyd o ddiystyr, neu'n anghyfrifol o anodd, cyhuddiadau a wrthododd hithau'n chwyrn: 'Nid gêm ydi hyn, ond gwaith difri calon,' meddai mewn cyfweliad yn y cylchgrawn *PN Review* yn 2015. 'Mae'n ymwneud â gwirionedd. Gwirionedd a geirwiredd.'

Dyma rai o arbrofion llenyddol mwyaf radical llenyddiaeth gyfoes Ewrop, ac o'u cyfieithu, maent yn rhoi ymarferiad bywydol i'r iaith Gymraeg a'i llenyddiaeth (sydd, gydag eithriadau nodedig, yn fwy cyndyn o arbrofi). Dyma ddieithrwch y mae'n rhaid rhoi i'r eithaf er mwyn dygymod ag o, a hoffwn feddwl y gallai'r Gymraeg, a'i darllenwyr, ymateb i'r her honno.

* * *

Yr hyn a gyflawna Mayröcker mewn llenyddiaeth, fe gyflawnodd Maruša Krese yn ei bywyd. Mae ei gwaith llenyddol hi – o safbwynt iaith neu arddull – yn gwbl groes i waith Mayröcker. Ond yr un yw dycnwch y ddwy, yr un eu hymroddiad, a'r un yw eu parodrwydd i wynebu'r byd a herio'r difancoll: nid mater bach i ddwy a fu'n byw yng nghanolbarth Ewrop trwy gydol ail hanner yr ugeinfed ganrif. Petai yna air benywaidd i gyfleu 'gwrol', dyna'r gair a ddynodai'r ddwy yma. Gwreigol? Efallai mai dyma'n cyfle ninnau i gyfieithu o'n profiad a bywydu'n hiaith, heb ddibynnu ar ystyron y gorffennol.

Anelu at y mynegiant symlaf posibl a wna gwaith Krese. Fel awdur, myn gadw iaith yn *matter of fact* (ymadrodd Saesneg a ddefnyddir ganddi hi), gan dorri iaith i lawr at y byw er mwyn i'w chenadwri fod yn ddealladwy i bawb. Yn gosmopolitad ymroddedig, defnyddiodd ei gwaith llenyddol i geisio canfod llwybrau cyffredin i bobl o bob gwlad, waeth beth fo chwalfeydd eu profiad. Ac yn sicr, fe gafodd Krese ei siâr o'r rheiny, yn bersonol ac yn wleidyddol.

Wedi cwymp y llen haearn yn 1989, gadawodd ei dinas enedigol, Ljubljana, a mynd i fyw i Berlin. Teimlai'n ddieithr, yn alltud bron, yn y Slofenia newydd a ddaeth i fod wedi datgymaliad yr hen Iwgoslafia. Ystyriai ei hun bellach yn ddi-famwlad ('heimatlos'), ac yn ddeiliad pasbort gwlad ddiflanedig, meddai mewn erthygl ddi-flewyn-ar-dafod ym mhapur newydd *Die Zeit* yn 1991. Ni allai oddef y siofiniaeth genedlaethol a'r sensoriaeth soffistigedig newydd a welai'n codi yn Slofenia dechrau'r 1990au: collfarnu'n ysgubol y cwbl a fodolai ynghynt (gan gynnwys llwyddiannau sosialaeth ddiwygiedig y 1980au) ar draul dyrchafu'r presennol 'rhydd' cyfalafol. A'r uchaf eu cloch yn hyn i gyd, meddai, oedd y rhai a ffynnodd – ac a ormesodd eraill – dan yr hen drefn, gan gynnwys llenorion a fwynhaodd gefnogaeth barod y Serbiaid flynyddoedd ynghynt (eu 'gelyn pennaf' bellach). 'Ble'r ydyn ni wedi cyrraedd?' holodd, a'i sylw syn a dig ar ffiniau, waliau a cheyrydd newydd cyfandir Ewrop.

Daeth yn ohebydd radio ac yn newyddiadurwraig yn ystod rhyfel Bosnia-Herzegovina (1992-1996), ond ni allai gadw hyd braich oddi wrth ddioddefaint ei chydwladwyr Iwgoslafaidd gynt. Dychwelodd i Sarajevo adeg y gwarchae enbyd yno, gan beryglu ei bywyd droeon yn gyrru faniau o nwyddau a meddyginiaeth am gannoedd o filltiroedd ar gyfer y bobl a ddihoenai yno yn eu miloedd. Ac ni orffwysodd wedi diwedd y rhyfel hwnnw, gan ddefnyddio'i doniau newyddiadurol a'i gwaith llenyddol i dynnu sylw at ddioddefaint pobl a phlant mewn rhannau eraill o'r byd, gan gynnwys Palesteina, Kashmir a dwyrain Twrci (fel y gwelir o'r cerddi a gyfieithwyd yma) – a defnyddio llafur ei chorff ei hun i geisio'i leddfu hefyd. Enillodd y gweithgarwch dyngarol hwn iddi fraint gwladwriaeth yr Almaen am ei gwasanaeth i ddynoliaeth.

Egwyddor fawr ei bywyd oedd ei '*Wunsch nach Welt*' (ei hawydd am, a thros, y byd), ond heb golli golwg ar arbenigrwydd pobl a phobloedd. Gwelir hynny'n eglur yn ei gwaith llenyddol. Allan o gymhlethdod cythryblus a dirdynnol popeth a welodd ac a brofodd yn ystod ail hanner yr ugeinfed ganrif, lluniodd Krese gorff o lenyddiaeth a allai gyfathrebu'n rhwydd â phobl o bob cefndir. Mynegir y profiad mewn geiriau uniongyrchol sy'n torri ar draws ffiniau cenedlaethol, ac mae'r cyfieithu, felly, yn gymharol rwydd. Mae'r cyfieithu anodd eisoes wedi digwydd yn yr awdures ei hun, trwy lafur ei meddwl a'i chorff, trwy ei hymdrech a'i hymroddiad dyngarol diflino. Tra bo Mayröcker yn brwydro i fynegi cymhlethdod profiad, brwydra Krese hithau i fynegi ei symlrwydd.

O ganlyniad, mae gwaith Krese yn haws ei ddarllen na gwaith Mayröcker. Ond mae yna her i ni yn ei gwaith hithau hefyd. Ei hymwybyddiaeth o hanes ei gwlad ei hun – y darn hwnnw o dir Ewrop a welodd beth o gyflafanau gwaethaf yr ugeinfed ganrif, gan gynnwys erchyllterau Ffrynt Soča ganrif yn ôl – fu'r ysgogiad i'w gweledigaeth lenyddol a gwleidyddol hi. 'Cyfieithodd' yr ymwybyddiaeth honno a'i gwneud yn sail i gydymdeimlad â dynoliaeth yn fyd-eang. A bu'n barod hefyd i farnu ei mamwlad pan welai yno gulni adweithiol, rhagrith a hunan-dwyll.

Wn i ddim a gyfarfu Mayröcker a Krese erioed. Ganed a magwyd y ddwy ohonynt ryw ddau gan milltir oddi wrth ei gilydd, tua'r un faint â'r pellter sydd rhwng Caergybi a Chaerdydd. Treuliodd y naill ei holl fywyd yn Awstria, a'i wneud yn grwsibl ei hymwneud ieithyddol â'r byd. Aeth y llall yn alltud, a mynd â Slofenia – a'r Slofeneg – i'w chanlyn ar hyd y byd, er iddi ddychwelyd, wedi popeth, i Ljubljana i fyw ei hwythnosau olaf.

Defnyddiaf innau'r Gymraeg – a'r ddalen wen – i dynnu'r ddwy ynghyd yma, a chyfieithu eu gweithiau ochr yn ochr â'i gilydd. Dwy awdures. Dwy iaith. Dwy wlad. Dau arddull llenyddol. Un cyfandir. Un ehofndra. Un mentergarwch. Ac un ymroddiad.

* * *

Friederike Mayröcker: Tair cerdd ac un darn o ryddiaith*

ond fo ond fo: a'r galon sy'n torri

efallai, meddyliaf, mellten o syniad, efallai
mellten o hiraeth, rhyngof a mi fy hun, efallai
1 boen y gallwn, a'r diwedd mor agos, nid
ei law, yn dyner, fel y siaradsom yn aml, efallai
ymhell bell, yn atgof bron, y gallwn
ddod i'w feddwl, ond wedyn, mae'n debyg,
y boen gorfforol, mor ddinistriol, bydd popeth arall. Na
allwn fod yno'n ei awr
olaf nid anghofiaf byth.

(*Ond yn awr ond yn awr: mae'r bisgwydden yn ei blodau*)

---

* Daw'r tair cerdd o gasgliad o gerddi Mayröcker (*Gesammelte Gedichte*, Suhrkamp, 2004), a daw'r darn rhyddiaith o'i chyfrol, *Études* (Suhrkamp, 2013). Cyfieithwyd o'r Almaeneg.

GWNAWN BOPETH ER DY FWYN PE NA BAET
ond yn fyw!
Yn gyntaf aem i'r Albertina,
i'r Museumscafé ac yna i'r FELDHASEN, 1 drem
yn dy lygad i weld wyt ti'n diffygio
ynteu'n medru dal ati. Mi wylem
yn aml, serch hynny, gan fod
ymadael o'n blaenau o hyd -

'eisteddwn dan wylo
am fod bywyd yn fyr' (Ernst Jandl)

cwyd haul y bore'r nef
loyw'n ddrych o waedd fy
ENAID-PALMWYDD a BALM LLAW'n bachu'r
melyn ym mhlyg y nef a ninnau'n cymysgu'n
lleisiau o, gytgan linynnol a melys
si'r aderyn uwch fy mhen a chusan
baban Iesu'n dywydd-dosturi a rhith
yr AMEN (Messiaen) – o, Rufain ar ddechrau
mis Tachwedd gartref y fam ar farw Hotel Byron
drosodd rheffyn o niwl yn y parc a ffrwythau melyn
cynddeiriog y dail ir y lemonau: cip
ar ryfeddod ... o sguba fi racsyn
o lyfryn (colledig) a blagur
y gainc y gainc o geirioswydd gyda'r nos neu
frigau'n ymfflamychu *Cyn-siacal* (Mikael Vogel) persawru'r
eithin y fâs o flodau nid yng nghwpwrdd y nos! a.y.b. y munudlys
cyntaf a hin grisialog heddiw gadael i'r pen

bori a mynd am dro'n y bore nes daw
syched a sgytwad a chryndod a'r blew bach
yn hollti uwch y penglog sef
fforest o binnau ar ben y bwrdd mor gynddeiriog y
dyddiau i mewn yn oen ac allan yn
oen drachefn, *o, fy wyneb*
tariannog 3 siaced yn gegrwth

14.8.12

Ganol mis Awst a'r pridd yn oeri'n barod y pridd yn oer cwmwl gwyn gwallt gosod o f'anwylyd mor faith i mi yw dy fynd, a thân dy galon yn mudlosgi dy galon barugo'r bore y barrug yn barod bob bore diawel, dihalog ar gyrion y goedwig a breuddwyd y blodau gwyw, a gwyrdd y goedwig dan gêl dan glo dan gwsg tynghedau, dagrau'r bore, fy llaw fy ngheg yn chwilio amdanat, chwilio amdanat, yn pwyso ar ffenest y bore : yr atgof sef cylch hoff a thawel y ddaear, y mwsog yn droednoeth y mwsog a'r gwlith a gwlith y pinwydd bob bore = y dagrau ……. dafnau'r gwlith ar dy dalcen: lle cusanaist fi gynt ……. (mae'n mynd f'anwylyd mae'n mynd – mor gyfnewidiol ffurf y lloer: cawr ariannaid, sathra fi'n y pridd nes 'mod i ……. bagla dan nen y bore lloer y dydd gawr gwelw a finnau'n arswydo, yr arswyd, drychfil gwelw, gwae! arswyd yn baglu dros y bryniau yn anghenfil. Pan ddellir fi'n unllygeidiog wrth ffenest y bore bach. Angau fesul llwyaid a.y.b.
(murmur y llwyn cwyros, yn chwerwach)

* * *

Maruša Krese: Darn o ryddiaith a dwy gerdd**

Yn sydyn, mae'n mynd yn dywyll

Berlin, y ddinas dwi'n byw ynddi ers tro byd. Y ddinas dwi'n dal i fyw ynddi weithiau. Mae pob dim yn anoddach. **Awstria** lle dwi'n teimlo'n braf, oni bai 'mod i'n sbecian y tu ôl i'r llenni. **Slofenia** sy'n fy ngwneud i'n drist a blinedig, ond yno'r ydw i adra. Pan dwi'n mynd i **Slofacia** mae hi'n bwrw, mae 'na niwl dros bob dim. **Lloegr** sy'n llawn *nostalgia,* gan gynnwys fy *nostalgia* fy hun, yn llawn tlodi a gemau gwerthfawr. **Yr Eidal** nad ydi Duw ei hun mo'i hisio mwyach, neu dyna dwi'n ei feddwl. A dwyrain Ewrop i gyd, **Albania**, **Twrci**. Be sy'n digwydd yno? Pwy ydi pwy? Pwy sydd yn lle? Mae popeth dan orchudd o unigrwydd, o ddieithrwch, o ofn a harddwch. O dywyllwch?

Bosnia? Dyna pryd yr aeth hi'n dywyll go iawn. Hyd heddiw, mae'r holl bobl o gyfnod y rhyfel, o'r wlad druenus hon, yn dod ar f'ôl i. Yr wynebau gwelw, crebachlyd, y llygaid mawr, gynnau a bomiau, cachdai, ... celwydd am *happy endings* a nentydd 'di rhewi'n gorn. Ynof i, neu felly dwi'n teimlo, mi fu farw rhywbeth bryd hynny, rhywbeth yr oeddwn yn ei gario ynof fy hun ers talwm ac na fedra'i ddeffro mohono mwyach. Rhywbeth golau,

---

** Rhan o ragair Maruša Krese i'r gyfrol *Yn sydyn, mae'n mynd yn dywyll* (*Nenadoma se je stemnilo,* Pavelhaus, 2011). Dyma gyfrol o gerddi a gyhoeddwyd ochr yn ochr â ffotograffau ei chwaer, Meta, yn sgil teithiau'r ddwy mewn sawl gwlad. Cynhwysir dwy o'r cerddi yma. Cyfieithwyd o'r Slofeneg a'r Almaeneg.

hapus, gobeithiol, rhywbeth newydd. Rhywbeth na fedra'i ond ei ganu'n dawel y dyddiau hyn, a dim ond pan fydda'i mewn hwyliau da: er enghraifft, y gân honno o'r 1960au, '*Those were the days my friend...*'

Dwi'n meddwl i mi gael llond bol, do, mwy na llond bol ar Ewrop adeg cwymp wal Berlin, adeg rhyfel Bosnia, adeg y ffiniau newydd yn Ewrop, adeg codi caer newydd y Gymuned Ewropeaidd. Yr hen Ewrop dda, ddiogel, gyfarwydd ... sy' ddim yn bodoli mwyach, neu efallai nad oedd hi'n bodoli erioed, a'r un newydd anhrefnus hon sy'n llawn ystrywiau a thriciau, a *happy endings* ffug hapus.

Dwi'n edrych ar ffotograffau Meta. **Berlin**. Gweithiwr ynghanol nos dan olau cry', artiffisial, yn cloddio mewn rwbel ar ganol sgwâr Potsdam. Dwi'n cofio adeg pan nad oedd Berlin yn ddim ond safle adeiladu, ddydd a nos, a phawb yn brysur yn cynllunio cofebau newydd i'r Iddewon. Dwi'n cofio adeg pan oedd yr Almaenwyr yn brysio i gelu hanes sosialaidd eu gwlad. Dwi'n cofio adeg pan oedd torfeydd o bobl yn dod o wledydd dwyrain Ewrop i'r ddinas newydd unedig a dwi'n cofio adeg pan o'n i'n teimlo 'mod i'n byw reit ynghanol y 'cachu Ewropeaidd' i gyd. **Bosnia**. Mae eirch yn cael eu symud a'r cyrff yn cael eu cyfri hyd heddiw, ac mae'r tir yn dal dan orchudd o alar. Does 'na ddim gwynt fedr ei chwythu fo i ffwrdd. **Slofenia**. Dwylo'r merched di-waith ac wedyn camau cyflym y merched sy'n dal mewn gwaith ac yn eu holi eu hunain bob dydd, 'Am faint eto?' Traeth gwag yn **Aserbaijan**.

Dwi'n edrych ar ffotograffau Meta. Stryd unig yn Dubrovnik,

ffenest niwlog yn Bratislava, hen wraig unig yn Napoli. Ewrop. Dydi hi ddim ots gen i mwyach lle'r ydw i. Yn Ljubljana, yn Graz, yn Berlin, yn Fienna. Mae oglau'r dinasoedd yn debyg i'w gilydd, a'r un ydi'r lliwiau. Pobl ag ansicrwydd yn eu llygaid. Ydi hi'n bryd inni adael? Ond i ble? Dwi'n cofio'r harbwr swnllyd hwnnw ar lan môr Adria, y llong fawr honno yr es i arni ar draws y cefnfor mawr. Mae'r harbwr yn cysgu bellach. A dydi fy llong i ddim yn bod. [...]

Dwi'n edrych ar luniau Meta. Dwi'n cofio'i neges e-bost o **Balesteina**. 'Dwi 'di cloi fy hun yn y gwesty a fedra'i ddim dal dim mwy. Fedra'i ddim sbïo ar y braw a'r tristwch 'ma.' Llun hogyn bach yn dal pysgod ffres yn dynn yn erbyn ei frest. Trysor? Wyneb hen ddyn sy' ganddo fo. Dwi'n edrych ar ei lygaid plentyn a'r cwestiwn oes-oesol, 'Ydi hyn byth yn mynd i stopio?' Tawelwch. [...]

Ac weithiau dwi'n teimlo bod Meta a finnau'n ddwy wniadwraig sy'n gwnïo tristwch at ei gilydd, Meta'n tynnu lluniau, finnau'n sgwennu. Meta'n canfod miloedd o luniau, a finnau'n colli'r geiriau. Mae'n dod yn fwyfwy anodd i mi sgwennu. Dydw i ddim yn medru canfod y geiriau iawn i ddisgrifio'r hyn dwi'n ei deimlo wrth edrych ar yr holl luniau a ddaliodd Meta efo'i chamera. Mae fy iaith i'n mynd yn dlotach, mae fy iaith i'n mynd ar goll yn y lluniau. Yn sydyn, mae'n mynd yn dywyll...

‘Bosnia a Herzegovina, 1994’

Aethom i’r eglwys
ond doedd hi ddim yno.
Aethom i nôl dŵr
o’r afon
ond doedd hi ddim yno.
Aethom i nôl yr eneidiau,
ond doedden nhw ddim yno.

Aethom i nôl y testament
a’i ddarllen.
Nid ni biau’r haul na’r sêr na’r cymylau
mwyach,
dim ond yr unigrwydd,
dyna ddywedai’r testament.

Aethom, aethom,
yr holl ffordd at y môr.
Môr pwy?

‘Palesteina, 2005’

Yr holl hanes yna,
yr Iddewig, y Mwslemaidd,
ein hanes ni.

Doedd bywyd ddim yn brifo mwyach.
Yr un diwethaf, yr hen un,
yr angau, y camau,
yr holl ffiniau, y rhagrith,
y bomiau a'r hawliau a'r milwyr.

Yr holl fwtsiera
yr holl chwilio
am y fisa iawn
i fynd i'r nefoedd.

* * *

Bûm yn ddigon ffodus i gyfarfod y ddwy ohonynt. Cyfarfod Mayröcker yn Fienna chwarter canrif yn ôl, pan dreuliais ddwyawr braf yn ei chwmni yn y fflat bychan, llawn papurau ar bumed llawr adeilad helaeth yn y Zentagasse. Roedd arwyneb pob silff, bwrdd, cadair a chwpwrdd yn gyforiog o bapurach a llyfrau, cardiau post, ffotograffau, toriadau papur newydd a chylchgronau lliw; yn wir, ymestynnai'r *collage* byw hwn hyd yn oed dros ddodrefn y gegin, ac roedd lloriau'r fflat yn gul gan lyfrau wedi'u pentyrru'n golofnau sigledig. Teimlwn barchedig ofn tuag at y wraig dawel, enwog, welw-ei-gwedd hon yn ei gwisg dywyll a'i cholur llygaid glasddu. Ond roedd yn gynnes a chroesawgar, wedi paratoi coffi ar fy nghyfer ac wedi bod yn y becws ar gornel ei stryd i brynu dwy doesen Fiennaidd (*Krapfen*) inni eu cael gyda'n paned. Cofiaf ymadael yn llwythog gan lyfrau yn rhoddion ganddi, a minnau'n llawn addewidion y sgwennwn amdani. Ond wnes i ddim …

Cyfarfûm â Maruša Krese yn Llanystumdwy yn y flwyddyn

2012 pan oedd yn Nhŷ Newydd dan nawdd Tŷ Cyfieithu Cymru / Cyfnewidfa Lên Cymru. Holais a fyddai'n fodlon dod i sgwrsio â'n dosbarth ysgrifennu creadigol yn y brifysgol, a daeth yn llawen, er bod salwch eisoes yn ei handwyo erbyn hynny. Roedd hi'n boenus o denau a bregus, ond yr un pryd yn gryf ac urddasol, a gwnaeth argraff ddofn arnom i gyd. Cofiaf inni dawelu fwyfwy, nid dim ond o barch tuag ati ond o gywilydd hefyd, wrth wrando ar ei hanes ac ar rai o'r pethau a welodd ac a brofodd yn ystod ei bywyd. Darllenodd ddarnau o'i gwaith diweddaraf inni, a bydd ei llais, a'i geiriau tawel, caredig a dig, yn aros yn fy meddwl am byth. Cofiaf hi'n dweud ei bod wedi cael trafferth cwblhau ei nofel gyntaf (olaf), *Da Me Je Strah?* (*Fel Bod Arnaf Ofn?*), ond llwyddodd i ganfod yr heddwch meddwl i wneud hynny tra bu yng Nghymru. O ganlyniad, daeth Cymru yn fath o fro dirion iddi. Cofiaf hefyd i mi addo cyfieithu ei gwaith hi. Ond aeth yr amser…

Cyn pen blwyddyn daeth cais mwy taer i gyfieithu un o'i cherddi i'r Gymraeg. Roedd Maruša Krese wedi gofyn amdano pan oedd ar ei gwely angau. Roedd am i'r gerdd gyfieithiedig gael ei darllen yn ei hangladd. Gwelaf bellach mai ei rhodd hi i'r Gymraeg oedd y cyfieithiad hwnnw.

Cyfieithais yma, felly, beth o waith y ddwy ohonynt, gan ddiolch am y rhoi di-ben-draw a ddaeth yn ei sgil. A cheisio – hyd yn oed yn rhy hwyr – roi rhywbeth yn ôl. Neu, ac adleisio geiriau Mayröcker a gweithredoedd Krese: cyfieithu i geisio herio marwolaeth.

Bara Berlin yn Sling

Mae'r gair Almaeneg *gemütlich* yn un anodd ei gyfieithu, ac ymhlith ei ystyron mae 'cartrefol', 'cysurus' a 'chlyd'. Mae'n seiliedig ar yr enw *Gemüt* a all olygu 'anian, natur, calon', a hwnnw yn ei dro'n hanu o'r un gwraidd â'r gair *mood* yn Saesneg.

Haws o lawer fyddai disgrifio'i oglau. Oglau sinamon a chlofs. Oglau croen lemon a menyn. Twtsh o oglau coffi. Oglau hen lyfrau coginio a cherdyn post o Albania. Oglau gwres Rayburn. Ac ar ymylon y cyfan, chwa o bersawr *Rive Gauche*. Nid yr ogleuon hyn yn unigol, ond y cyfuniad ohonyn nhw. Dyna oglau *gemütlich* i mi. Dyna oedd oglau cegin Renée.

Ym mhentref Sling ger Bethesda yr oedd hi a'i gŵr, John, yn byw, mewn tŷ chwarelyddol braf a'i gefn at Fynydd Llandygái a'i wyneb tua'r môr. Ac yma, i Fron Heulog, y down bob wythnos pan oeddwn yn fy arddegau i gael fy nhormentio gan ramadeg Almaeneg. Roedd 'na dyndra rhyfedd rhwng y cysur o gamu dros y trothwy llechen i mewn i gegin gynnes Renée, a'r awr o artaith feddyliol y gwyddwn oedd o'm blaen: o stryffaglio i ddeall ystyron *Nominativ, Akkusativ, Dativ* a *Genitiv* ar adeg pan oedd gwersi Lladin wedi hen ddiflannu o ysgolion cyfun Gwynedd. Roedd hyn ganol y 1980au.

Cymerai Renée'n ganiataol fy mod yn hen gyfarwydd â'r cyflyrau Lladin. Roedd wedi'i magu mewn oes wahanol, dan gyfundrefn addysgol yr Almaen yn y 1930au. A phrun bynnag, roedd John yn ddarlithydd yn y Clasuron ym Mhrifysgol Bangor. Ond pan estynnai Renée am ein llawlyfr melyn, clawr caled a'i enw mewn print Gothig – *Heute Abend* – yn ddigon â dychryn neb, gwyddwn fod gwers hir mewn ymlafnio meddyliol o'm blaen.

Nid y geiriau cyfansawdd, hirwyntog oedd y drwg. Roedd

y rheiny'n dod yn naturiol i un a fagwyd o fewn tafliad carreg i Lanfair-is-gaer a Phenisa'r-waun. A mater bach i Gymraes Gymraeg oedd ynganu cytseiniaid grymus a llafariaid agored yr Almaeneg. Ond am y gystrawen... Roedd ceisio meistroli dirgelion honno, a oedd fel petai wedi'i dyfeisio'n fwriadol i lesteirio deall, yn peri *angst* pur i mi. Bu ond y dim i mi â rhoi'r gorau iddi.

Ond yna, ryw dri chwarter awr i mewn i berfeddion rhyw is-gymal ansoddeiriol, dôi fy ngwobr. Byddai Renée'n cau clawr yr arteithlyfr ac yn troi ataf gan ddweud yn y Saesneg a swniai ychydig yn uchel-ael i mi oherwydd ei dinc stacato: 'Would you like a cup of coffee?' A dyna eistedd yn ôl yng ngwres y Rayburn am ychydig a gwylio Renée'n symud trwy ei chegin. Estynnai i ddechrau, nid am jar o *Nescafé* cyffredin, ond am dun llawn adenydd papur gwynion y byddai'n plygu ymyl un ohonynt cyn ei gosod yn ei pheiriant coffi *Krups*. Yna âi ati i lwyeidio'r coffi mâl i'r papur hidlo gan golli peth yn ddi-ffael dros yr ochr a dechrau fflamio mewn Almaeneg dan ei gwynt. Wrth i oglau'r coffi ffres raddol lenwi'r gegin, ciliai Renée i'r bwtri a dychwelyd â thun sgwâr sylweddol yn ei dwylo, hen dun bisgedi *Crawford* os cofiaf yn iawn. Byddai'n nesáu ataf dan godi'r caead a datgelu gwledd o ddanteithion Almaenig i mi, yn fisgedi coch a chacennau aur, yn *Lebkuchen* neu *Streusel*, yn dameidiau o gacen gaws neu'n lleuadau wedi eu gwneud o fenyn, siwgr a chnau almwn, a'r cyfan wedi ei bobi yn ei chegin hi a oedd, dros y blynyddoedd, wedi cymryd arni oglau'r cynhwysion hyn.

Roedd hi mor anodd dewis! Ond waeth beth oedd ar gael yr wythnos honno, gwyddwn, wrth blannu fy nannedd yn y trêt, yr agorid fy synhwyrau i flasau na wyddwn ddim oll amdanynt cynt: cyfuniadau dieithr o sbeisys, o gnau wedi'u rhostio'n gyfan, o flas annisgrifiadwy hadau pabi mâl, o geirios suddog, sur, o resins wedi'u trwytho mewn rym, o gaws meddal wedi'i grasu â lemon, o *Kirsch* a hufen a siocled... Blas traddodiad arall oedd hwn. Ac wrth i'r blas hwnnw gyfuno â'r coffi chwerw yn fy ngheg, gwyddwn fy mod yn cael llawer mwy nag egwyl bum munud o'r gwaith. Roeddwn yn cael blas ar ddiwylliant arall.

Neilltuai Renée funudau olaf y wers i astudio llenyddiaeth. Wrth i ddefod holl bwysig y *Kaffee & Kuchen* dynnu i ben, byddwn innau o'r diwedd yn ymlacio ac yn gwrando ar Renée'n darllen ei hoff farddoniaeth, gwaith y beirdd Rhamantaidd fel arfer, o hen flodeugerdd fu ganddi er yn blentyn ysgol. Mae geiriau a mydr y cerddi hynny, megis 'Die Lorelei' gan Heine, wedi aros am byth yn fy nghof:

Ich weiß nicht, was soll es bedeuten,
Daß ich so traurig bin;
Ein Märchen aus alten Zeiten,
Das kommt mir nicht aus dem Sinn.

Die Luft ist kühl und es dunkelt,
Und ruhig fließt der Rhein;
Der Gipfel des Berges funkelt
Im Abendsonnenschein...

Ni wn i pa beth ydyw ystyr
Fy mhrudd-der ar adeg fel hyn;
Rhyw chwedl o oesau pellennig
Sy'n llenwi fy meddwl syn.

Mae'n oeri'n awr a thywyllu;
A thawel yw llif y dŵr;
A chopa'r mynydd yn loyw
Gan fachlud di-ystŵr…

Ffefryn arall ganddi oedd cerdd Goethe, 'Mignon, Kennst Du Das Land', a'i chwpled agoriadol adnabyddus:

Kennst du das Land, wo die Zitronen blühn,
Im dunkeln Laub die Gold-Orangen glühn…

A glywaist am wlad lle tyf y lemonau mwyn,
Orenau'n tywynnu'n aur ym mrigau'r llwyn…

Byddai Renée'n adrodd y geiriau'n llawn hiraeth am y wlad ddeheuol hon, a'i hangerdd yn cynyddu wrth gyrraedd yr ebychiad ar ddiwedd y pennill:

Dahin! Dahin
Möcht' ich mit dir, o mein Geliebter, ziehn!

Yno! Yno
Pe cawn, yr awn i, f'anwylyd, â thi!

Hyd heddiw, ni allaf glywed dyfynnu'r llinellau hynny heb gofio sŵn eu llefaru yn llais isel Renée, a'i arlliw o grygni deniadol.

Wedi'r wers, teithiwn y pedair milltir adref o Sling i Fethel, nid fel rhywun yn mynd o un pentref chwarelyddol i un arall, ond yn hytrach fel rhywun yn symud rhwng dwy wlad, dau draddodiad, dwy etifeddiaeth a oedd, serch hynny, fel cegin *gemütlich* Renée a'i hinsawdd Almaenig a'i dodrefn Cymreig, yn gyfuniad; yn gyfansawdd; yn ddeubeth wedi eu hieuo i'w gilydd.

Daliais ymlaen â'r gwersi Almaeneg (roeddwn wedi fy machu). Daeth y gramadeg yn haws, a rhedeg berfau a goleddfu ansoddeiriau'n ail natur. Aeth y cwrs lefel-O yn gwrs lefel-A, ac erbyn fy mod yn ddwy ar bymtheg oed ac yn gwylio cwymp wal Berlin ar y newyddion, roeddwn wedi rhoi fy mryd ar astudio'r Almaeneg a'i llenyddiaeth mewn prifysgol.

Ond roeddwn wedi hen raddio yng nghelfyddyd bobi'r wlad, a phan awn draw i'r Almaen ar ymweliadau cyfnewid, byddai Renée'n aml yn gofyn i mi ddod â 'neges' yn ôl iddi: cilogram o hadau pabi, paceidiau lawer o siwgwr fanila, potelaid o *Essigessenz*, y finegr cryf 25% asid... Da o beth, o edrych yn ôl, nad agorwyd fy mag gan bobl y tollau.

Fy hoff gacen o'r cwbl oedd *Berliner Brot* ('Bara Berlin'), cacen sbeislyd, dwtsh yn siocledaidd, fymryn yn grin, ac ynddi gnau cyll cyfan, a mêl, a cheirios, ac nad oedd a wnelo hi ddim oll â Berlin ei hun ond yn hytrach ag ardal ddiwydiannol y Ruhr yr hanai Renée ohoni. Mae'r rysáit gen i hyd heddiw, yn llaw Renée ei hun ac mewn beiro goch (wrth gwrs), ac olion iro ac iws yn staeniau dros y papur. Mae mor werthfawr imi ag unrhyw lawysgrif. Ac wrth edrych arno, clywaf lais Renée yn fy siarsio i dorri'r gacen yn sgwariau yn syth wedi iddi ddod o'r popty, a'i storio'n go handi mewn tun i'w chadw'n ffres.

Yn raddol, daethom yn fwy nag athrawes a disgybl. Daethom yn gyfeillion. Dysgais am ei bywyd cynnar yn Almaen Adolf Hitler, y pwyslais mawr ar gryfder a ffitrwydd corfforol a'r modd y curid plant ysgol am gwestiynu'r drefn; am hanesion ei hathrawes a'i chyfeilles, Dora Wegler, a ymheliai â'r *resistance*.

Ac yn ddiweddarach, wedi'r rhyfel, am ei chyfarfyddiad â John, yr archeolegydd ifanc o Gymro, ar drên yr Orient Express yn Iwgoslafia. Am ei dyfodiad yn wraig briod i ogledd Cymru'r 1950au, a'r ddrwgdybiaeth a brofodd i ddechrau, a hithau'n Almaenes, o du sawl un.

Gan fod ei phlant ei hun – Angharad, Rhodri a Catrin – wedi gadael y nyth, dechreuais fynd yn gwmni iddi am dro hyd ein cefn gwlad, i gerdded llethrau Eryri neu nofio yn llyn Ogwen. Bu Renée'n ddringwraig creigiau brofiadol am flynyddoedd, ac roedd 'na fentergarwch arbennig ynddi o hyd. Sgrialai ei char VW llyw-ar-y-chwith bron ar ddwy olwyn hyd lonydd cul Arfon, ac roedd ei datganiadau anghymreig o ddi-flewyn-ar-dafod yn fy siocio'n aml. Gwyddai'n union lle y tyfai'r madarch mwyaf rhyfeddol, yr eirin tagu mwyaf toreithiog, lle'r oedd y golygfeydd mwyaf trawiadol a'r llwybrau mwyaf diarffordd. Wedi'r cyfan, roedd wedi byw yn Sling yn hwy nag y bu'n byw yn Iserlohn. Roedd wedi byw yng Nghymru yn hwy nag y bûm i.

Yn y cyfamser, a 'ngradd yn mynd rhagddi, roeddwn innau'n ymgyfarwyddo â'i gwlad hithau, yn treulio cyfnodau estynedig yn yr Almaen, a thrwy hynny'n cael golwg newydd ar y cyfandir yr oedd hi'n rhan ohono – ac yn graddol ddod i ddirnad perthynas fy ngwlad fy hun, fy iaith, fy llenyddiaeth, fy nghrefydd a'm diwylliant, â chlytwaith cyfoethog ac amrywiol Ewrop. Des i weld bod dwyieithrwydd / amlieithrwydd yn norm, a bod dysgu iaith yn fwy na meistroli geirfa a gramadeg, ond yn hytrach yn fater o ymagor yn ostyngedig i brofiadau pobl eraill. O wrando, lawn cymaint â siarad. Des i sylweddoli bod cyfuno a chyfansoddi yn sail i greadigrwydd, a bod cofleidio tebygrwydd a gwahaniaeth yn amod bywyd ei hun. A bod hyn oll yn bleserus!

Ond wrth gwrs, mi wyddwn hynny ers blynyddoedd. Fe'i dysgais yng nghegin *gemütlich* Renée – wrth fwyta Bara Berlin yn Sling.

Bu Renée farw yn hydref 2016 ar drothwy ei phen-blwydd yn 90 oed. Roeddwn gyda hi yn Ysbyty Gwynedd yn ystod ei horiau olaf. Diolchaf hyd heddiw am fod wedi ei nabod, am y cyfuniad o lwc ac amgylchiadau a wnaeth hynny'n bosibl: y lwc bod Renée ar gael i roi gwersi Almaeneg i mi; y lwc o fod â dau riant mewn gwaith a allai dalu am y gwersi hynny. A'r amgylchiadau: o fod wedi tyfu i fyny pan gaed rhaglenni dysgu ieithoedd ar y BBC ar foreau Sul (a enynnodd fy niddordeb mewn Almaeneg yn y lle cyntaf); pan oedd gefeillio diwylliannol rhwng trefi a phentrefi Cymru ac Ewrop yn gyffredin; pan gydnabyddid gwerth dysgu ieithoedd, hyd yn oed ym Mhrydain – yn addysgol, yn ddiwylliannol, yn economaidd ac yn gymdeithasol.

Nid mewn amser yn unig y mae honno'n teimlo fel oes arall. Ac er fy hiraeth amdani, diolchaf na fu Renée'n dyst i labysteiddiwch a senoffobia brwnt y tair blynedd diwethaf – ar stryd ac mewn senedd. Roedd unwaith mewn oes yn ddigon.

Cwpan a Soser
(atgof plentyn)

Mae gennyf gwpan a soser ar fy nesg na fyddaf byth yn eu defnyddio. Mae'r peth yn ddirgelwch llwyr i'r plant. I beth maen nhw'n da yno, mewn stydi sydd mor brin o ornaments? Pam na chân' nhw'u defnyddio gan fam sydd mor ffond o de?

Mae 'na ymyl aur ar y gwpan, twtsh o aur ar y glust hefyd a rhimyn aur o amgylch y soser. Fel arall, does 'na ddim yn torri ar y purdeb gwyn ond stamp glas golau sy'n cynnwys dwy sgrôl rubanog a motiff deiliog. Ac enw bob un ar y ddwy sgrôl, sef Bethel / Arfon.

Mi ŵyr y plant yn iawn mai dyna enw fy mhentref, ddwy filltir a hanner (a hanner oes) i lawr y lôn.

Souvenir ydyn nhw, ta?

Na, nid *souvenir*.

Ond cwpan wag? Pam na roi di feiros ynddi i gadw?

Am nad ydi hi ddim yn wag. Mae hi'n llawn – hyd at yr ymylon. Mae angen soser oddi tani er mwyn dal y gorlifiadau.

Mae'n anodd iawn esbonio. Anodd herio sens pum synnwyr, a'r hyn y maen nhw'n ei weld, sef cwpan wag a soser ofer.

Felly trof at hen dric yr ateb disynnwyr.

'O'n i'n arfer byw yn hon ers talwm.'

A dyna daw ar hynna am y tro.

Ond rŵan bod y plant yn hŷn, efallai ei bod hi'n bryd esbonio pam mae'r gwpan ar fy nesg. A sôn sut beth oedd byw, am dipyn bach, yn Nhŷ Dduw, Arfon.

Nid 'Bethel' oedd enw'r lle erioed, y darn o dir anwastad, brwynog hwnnw sy'n llenwi'r bwlch rhwng glannau Menai a godreon Eryri, yr ochr hon i afon Saint. Go brin fod iddo enw am ganrifoedd maith. Poblogaeth wasgarog a drigai yma. Ond rywbryd, medd W. J. Gruffydd, dechreuwyd galw'r lle'n

'Rhos Chwilog': rhostir y gwylog; tir anial yr aderyn môr.

Roedd yn enw priodol, prydferth hyd yn oed. Ond erbyn heddiw, dim ond un fferm yng ngogleddau'r pentref sy'n dwyn yr enw hwn. Mi ddaeth ein capel ni i newid popeth.

Yn 1810 y daeth yr addoldy hwnnw i fod, y cyntaf yn yr ardal. Galwodd yr Annibynwyr o yn 'Bethel', Tŷ Dduw yn yr Hebraeg, y man, yn ôl llyfr Genesis, y rhoddodd Jacob ei ben i lawr ar garreg a breuddwydio am ysgol yn ymestyn o'r ddaear i'r nef, ac angylion Duw yn mynd i fyny ac i lawr ar hyd-ddi. Wrth i'r tai o gwmpas y capel luosogi gyda thwf chwarel Dinorwig, daethpwyd i alw'r egin-bentref yn 'Bethel'. Ac er bod y Methodistiaid a'r Wesleaid yn y cyfamser wedi codi eu capeli nhw, sef Y Cysegr a Saron, Bethel oedd yma gyntaf. Ac felly ni oedd piau'r patant. O ganlyniad, magwyd ni oll, blant y pentref, yn blant Tŷ Dduw – a daeth Ysgol Bethel yn rhywbeth tra gwahanol i'r hyn a welodd Jacob yn ei gwsg (er nad o anghenraid yn brinnach o angylion).

Ychydig a wyddem ni blant y 1970au am yr hanes enwol hwn, er bod y rhan fwyaf ohonom bryd hynny'n dal i fod yn blant yr Ysgol Sul. (Beth arall, wedi'r cwbl, oedd i'w wneud ar ddydd y Saboth?) Doedd y bwlch rhwng enwad ac enwad yn golygu fawr mwy i ni na'r bwlch rhwng Jones a Roberts, a dipyn llai na'r affwys a fodolai rhwng Liverpool ac Everton. Aem ni, blant Capel Bethel, i'r Ysgol Sul cyn cinio, tra âi plant y Cysegr iddi yn y pnawn. I Rhyl yr aem ni, yr Annibynwyr, ar ein trip blynyddol yn yr haf; ond i Butlins Pwllheli yr âi'r MCs. Dyna'r gwahaniaethau crefyddol. A dim mwy.

Mater o hunan-barch oedd yr ymrafael rhyngom. Ac am nad oeddem yn hyddysg mewn diwinyddiaeth, y capel ei hun a roddai sylwedd i'n balchderau. Iawn, efallai fod Capel y Cysegr yn fwy clyd. Ac oedd, roedd 'na fwy yn mynd iddo (toedd 'na fwy o le parcio?). Ond nad anghofied neb mai ni oedd yma gyntaf. Ac yn bwysicach: roedd ein capel ni'n fwy, yn gapel deulawr, yn ddybl-decar o le. Roedd 'na hyd yn oed enw ar yr oruwch ystafell, a hwnnw'n air ecsotig, sef 'galeri', ac roedd 'na risiau'n esgyn ati a drws ar draws y grisiau. Ac i goroni'r cyfan, roedd 'na siars ynghlwm â'r drws, sef hyn: nad oedd 'na NEB i ddringo'r grisiau, am fod y galeri'n beryg bywyd – yn enwedig i BLANT DRWG.

Blant unllawr y Cysegr, doedd gennych chi ddim gobaith! Os oedd eich capel chi'n gynhesach a mwy poblog, roedd ein capel ni'n fwy gwag. Ac felly'n llawnach o bethau cyfrin. Roedd yn fwy atmosfferig. Roedd i bob sain ryw atsain hir. Ac roedd 'na deimlad trwchus yn yr aer. Pan gamech i mewn i'r lle, teimlech eich bod yn tarfu ar ryw fywyd anweledig, a phan eisteddech yno, llenwai'r gwagle mawr eich pen, eich perfedd a'ch dychmygion oll. Tra pwysai'r galeri'n wastad ar eich meddwl syn.

Mewn gair, roedd Capel Bethel nid dim ond yn gapel mwy. Mi oedd yn *fwy o gapel* – yn lle a'ch swynai ac a'ch brawychai yr un pryd.

Ac roedd 'na fynwent.

Dim ond ar Suliau pwysig y disgwylid inni fynd i'r capel ei hun (perthynai'r gair 'oedfa' i 'oedolion' yn ein meddyliau ni). Mae'r Suliau hynny'n glynu yn fy nghof, nid am eu bod yn eithriad, fel y cyfryw, ond am eu bod i gyd yr un fath. Yr un oedd Trefn y Gwasanaeth drwy'r blynyddoedd oll.

Stranciem i ddechrau yng nghyffro'r diflastod. Roedd ein penolau eisoes yn sgwâr, y meinciau'n galed a diglustog, a chefn y fainc tu blaen a blaen y fainc tu cefn yn dipyn o garchar. Cyn hir, caem siars mewn clust i stopio cnonni / ffidlan / sibrwd dan ein gwynt. Dôi sgwd galed drysau'r capel yn cau y tu ôl i'n cefnau. A bron heb rybudd ildiai cwynfan mwyn yr organ i dawelwch llwyr.

Gwyddem yn iawn beth oedd o'n blaenau.

Yn raddol, fel petaent yn ddoliau mewn rhaglen deledu (meddyliem am *Bagpuss* ar y pryd), dôi'r diaconiaid llonydd eto'n fyw yn y sêt fawr. Dechreuent ddeffro. Agor ceg. Ymestyn eu llewys llwyd yn araf wrth i'w cyrff ddadgyffio. Dôi mwngial bâs o rywle dan goleri'u crys, rhyw synau annealladwy a wnaent ar ei gilydd. Eu hunangyfeirio tawel oedd y peth.

Gwyliem nhw heb ofni gormod. Roedd bariau trwm y balwstrâd yn ein gwahanu, a thrigen nhw ar lefel uwch na ni. Dynion oedden nhw i gyd. Ac eto, nid dynion chwaith yn llwyr, yn ein tyb ni, ond rhyw rywogaeth arall. Yn wir, credem mai yno yn y capel roedden nhw'n byw. A phan welem nhw'n ddamweiniol ar y stryd mewn gwisg bob-dydd, tybiem mai copi egwan oedd y person hwnnw, rhyw *doppelgänger* o was bach a yrrwyd ar neges allan i'r byd y tu hwnt i furiau'r capel, i brynu sigaréts neu faco i'r hen feistri llesg.

O blith y rhain cyfodai'r gweinidog. Fo oedd y cyfryngwr rhwng dau fyd, sef byd y sêt fawr a llawr y capel. Safai yno'n syllu ar y cloc am dipyn bach. Pesychai wedyn – er mwyn profi ansawdd ein gwrandawiad. Yna, o'r diwedd, croesawai ni, gyfeillion annwyl, unwaith eto y Sul hwn, i oedfa'r bore. Yr hen blantos yn enwedig. A gwenai arnom, er na wenem byth, o nerfusrwydd, yn ôl.

Prin fod angen iddo ragymadroddi (er y gwnâi), oherwydd gwyddem oll y drefn yn union. Galwai'r emyn cyntaf, a thorrai cordiau'r organ yn ei heiddgarwch ar ei draws cyn iddo orffen siarad. Gwnaem ninnau'n fawr o'r cyfle hwn i godi ar ein traed, rhoi stretsh i'n cyrff ac yngan rhywbeth, petai ond ar gân, cyn dyfod o'r Llonyddwch Mawr a oedd o'n blaen, sef y bererindod drwy anialdir maith y Weddi.

O, roedd honno'n dalp o dragwyddoldeb! Nid am ei bod yn hir, o raid, ond am fod cyfarch absenoldeb yn beth rhyfedd iawn i blant. Wele'r gweddïwr, y Parch ei hun fel arfer, yn sgwrsio fel petai drwy'i hun, yn galw *Ti* ar Dduw wrth eiriol drosom, yn annerch gwagle mawr y capel hen, yn 'siarad efo'r wal', a'i lais yn dod yn ôl o'i charreg ateb oer – bron heb ei drawsnewid.

Yn gyndyn yr ildiem i'w disgyblaeth lem. Yn wir, ceisiem bob math o ffyrdd i'w lliniaru, gan gynnwys peidio crymu gwar a hanner cau ein llygaid, fel roeddem i fod. Na, roedd dull mwy adeiladol o weddïo i blant, un a gynigiai fwy o libart i fyfyrdod hir. Ac roedd tri cham i hwnnw: sef ymgrymu tuag ymlaen; dod â'ch talcen i gyffyrddiad â'ch dwy law a bwysai ar y fainc o'ch blaen; ac yna tuchan.

Ymhen munud neu ddau caech agor llygaid...

Sbecian...

Ar eich traed i ddechrau, fan'cw isod, yn y dyfnder pell, yn siglo'n ôl a blaen yn annibynnol arnoch. Gwelech y sgratshys ar du blaen eich esgidiau'n wyn dan haen o bolish. Codech un droed a'i gosod ar y beipen. Ac yna'r llall. A thapio alaw ar yr haearn poeth nes iddo ddechrau'ch llosgi...

Ac ar ôl dipyn gallech gynnil droi eich pen i weld pwy oedd drws nesaf. Wrth gwrs, roedd honno'n gêm beryglus. Pe daliech lygad plentyn arall, Duw a'ch helpo, gallech dorri i chwerthin. Caech ysgyrnygiad gan oedolyn, o bosib hwth yn eich asennau a'ch plygai'n ddauddeublyg. A gorfod dechrau'r cyfan eto.

Ond weithiau caech oedolyn ar eich pwys nad oedd yn rhiant; gweddïwr mwy sancteiddiol; rhywun mewn oed efallai; rhywun gymerai'r weddi ar ei gair, rhywun a gadwai wyneb gyda'r *Ti*. A dyna pryd y caech chi syllu. Ac roedd pob rhych a phant a blewyn yn difyrru'r weddi.

Wynebau'r gwragedd hŷn a'n denai fwyaf. Yr haen o bowdwr oedd 'run lliw â sherbet *Double Dip* (blas oren) dros groen yr wyneb, a hwnnw'n lluwchio dipyn wrth y glust. Y minlliw *cherry lips* neu *opal fruits* ar y gwefusau. Y pâr o fwâu pensil lwyd lle gynt bu aeliau, a'r mân linellau, fel mân wlâu afonydd, a gris-groesai'r foch. Y cyrls wedi caledu'n sment dan haen o *lacquer*. Ac os oedd ganddynt het neu froitsh, hawliai peth felly ddau, dri munud o astudiaeth ddwys – oedd yn gaffaeliad.

Llai atyniadol oedd wynebau'r dynion hŷn, ond eto'n llawn apêl i lygaid plentyn. Blew bras, fel gwlydd tatws, yn egino yn y glust. Y trwynau gwridog a'u dwy ogof ddu. Asgwrn yr ên naill ai'n lliw llechen las am fod 'na farf yn ysu, neu'n disgleirio'n *glitter* arian. Roedd gan yr aeliau eu bywyd eu hunain (cynefin anwar), ac weithiau, drostynt, roedd 'na sbectol i'w harchwilio, un blastig ddu, a phlaster ar ei cholyn yn amlach na heb.

Ond doedd y craffu yma byth yn para'n hir. Gall pobl deimlo syllu; mi ŵyr pob plentyn hynny. Mae'n teimlo'n drwm ac ysgafn yr un pryd, fel cysgod cwmwl. Yn sydyn a dirybudd, byddai'r pen yn troi. Y llygaid yn agor...

Andros o beth yw pwysau trem oedolyn.

Claddem ein hwyneb yn ein dwylo bach drachefn, ac oglau chwys euogrwydd yn ein ffroen, hynny ac oglau farnish. Dyna oglau gweddi i mi.

Chofia i'r un gair o'r un ohonynt, y gweddïau hirfaith hynny. Dim ond eu hundonedd a arhosodd yn fy nghof. Heblaw am y tro hwnnw pan alwyd ar i un o'r diaconiaid gymryd lle'r gweinidog. Roedd honno'n fenter arall. (Oedd gan y gŵr di-goler-gron fandad o gwbl?) Synnais ei glywed yn siarad. A ffeindio fy hun, am y tro cyntaf, yn clustfeinio.

Roedd rhywbeth anarferedig yn ei ddull. Rhyw seibiau hir. Petruso. Gadawai frawddeg ar ei hanner, fel petai ar goll, neu wrthi'n ailfeddwl. Roedd 'na ddirdyniad yn y geiriau dwys.

Cofiaf godi fy mhen i sbïo, fy llygaid syn ar agor. A dyna lle safai'r blaenor, yn adyn unig. Yn ddyn, wedi'r cwbl. Yn ddyn mewn oed. Ei wedd yn welw. Cyn-chwarelwr, a'i lygaid ynghau, a chryndod od ym mlew ei lygaid. Pwysai ei ddwylo glân a chreithiog ar ganllaw llydan y sêt fawr gan godi ar brydiau i'r awyr o'i flaen, fel petai o'n teimlo'i ffordd trwy'i weddi, cyn dod yn ôl i lawr at lan y pren er mwyn angori.

Câi drafferth anadlu. Roedd llwch llechi'n rheibio'i ysgyfaint. Câi drafferth dod o hyd i'r gair, y geiriau iawn, i gynnal sgwrs â'i Arglwydd. Dywedai rywbeth, wedyn tawai – er mwyn adfer ei wynt. Ond roedd hefyd fel petai o'n gwrando ar y gwagle, yn chwilio am ymateb gan ei Grëwr Mawr yn ôl.

Cofiaf yn glir nad oedd dim, dim yn llenwi'r bylchau hir rhwng gair a gair ond cri fain, gas ei frest yn crefu am awyr.

A chofiaf ni'n sobri. Meinciad o blant yn dal eu gwynt – am ein bod eisiau iddo yntau wneud yr un fath.

Gwangalon, braidd, oedd sŵn yr emyn nesaf, oherwydd gwyddem fod y Bregeth yn dal i ddod. Dechreuai honno'n reit sionc, a'r gweinidog yn gwneud ymdrech ar y Suliau hyn i'n tynnu ni, 'rhen blant, i mewn i'r stori. Caed sôn am ryw dro trwstan, gair crafog gan ryw hen gymêr, rhyw bwt o'r *Daily Post* neu ffaith o *Eco'r Wyddfa*. Fe'n prociai i ymateb, mynegi barn hyd yn oed, i arddangos ein diniweidrwydd, ond roeddem yn swil o siarad gyda chaniatâd, ac yn y man mi flinai yntau a throi ei sylw at ei briod dorf. A dyna pryd, wrth gwrs, y byddai'n newid gêr o'r dyddiol i'r tragwyddol. Crwydrai'r bregeth yn ddi-ffael o Fethel ger Caernarfon i Fethel ger Jerico, at ystyriaethau dwysach, at bechod a maddeuant, at esiampl Iesu ac at dosturi Duw.

Mae'n siŵr mai dyna pryd y stopiwn wrando. A chrwydrai 'ngolygon innau draw oddi wrth y pulpud at y waliau plaen, lliw llefrith a'n hamgylchynai i gyd. Gwelwn yr addurniadau cynnil – ambell dwtsh o aur neu baent glas golau. Gwelwn waith plastar cain y nenfwd a'r chwe lamp wen, hardd a ddôi i lawr, i lawr ar eu cadwynau du o bellter entrych. Gwelwn y dodrefn llym, y cefnau syth, y sglein oedd ar y pren *pitch pine*. A gwelwn lafn o haul yn llifo drwy'r ffenestri cul gan daro ymyl mainc mewn pwll o olau.

O oedran ifanc, bron heb sylwi, mi wirionais ar brydferthwch Capel Bethel, a'i estheteg foel, ddiaddurn. Mae i'w weld hyd heddiw yn y gwpan ar fy nesg. Y gwynder plaen. Y tinc o aur. Yr addurn gwelw las, a'r ddau air syml ar ddwy sgrôl. Bethel / Arfon. Er mai 'Made i'n England' a nodir ar ei bôn, does dim sy'n fwy Cymreig na hon i mi.

A thrwy gydol fy nghrwydriadau, hwyliai'r gweinidog yn ei flaen ar gefnfor mawr y bregeth, y traw'n codi fesul ton a thon, y cyfeiriadau ysgrythurol yn cynhyrfu, a gorwel iaith, o'r herwydd, yn ehangu. Nid Cymraeg y palmant a'r cae swings a siaradai mwyach, nac iaith y Neuadd Goffa, ond Cymraeg y Beibl, iaith William Morgan a William Salesbury, iaith bedwar cant oed, a honno'n frith o eiriau ac ymadroddion na ddeuem ar eu traws yn unlle ond fan hyn, ddim hyd yn oed yng ngwersi'r ysgol. *Cyfiawnder, gras, pechadurusrwydd, tosturi. Y claf o'r parlys, Satan, mab afradlon, Iôr. Yr hollalluog Arglwydd, megis* ac *oblegid.* Brawddegau'n dechrau ag *Efe, Myfi, Tydi,* a'r berfau'n gorffen gydag *-asaf, -asoch, -asant.* Cyfosodiadau rhyfedd pethau hawdd a phethau dyrys: *gwialen* a *sancteiddiol, afon* a *thrugarhad, pren* a *chyfamod, oen* a *gorsedd gras.*

Dim ond lled-ddeall a wnawn. Ac eto, fe'i deallwn hi yn llwyr, yr iaith gyfoethog, ddieithr hon a lifai drosom. Teimlwn ei grym. Ei düwch a'i goleuni. Ei thymhestloedd mawr a'i thrugareddau bychain. Tynnai ei rhythmau a'i delweddau ar fy nychmygion fel y lleuad efo'r llanw. *Duw sydd noddfa a nerth i ni, cymorth hawdd ei gael mewn cyfyngder. Yr Arglwydd yw fy mugail, ni bydd eisiau arnaf. Dyrchafaf fy llygaid i'r mynyddoedd, o'r lle y daw fy nghymorth...*

Sul ar ôl Sul, heb imi sylwi, treiddiodd y geiriau i enaid f'ymennydd; yr ymadroddion cryf; y miwsig cyfareddol. A'u grym gymaint yn fwy am na chymerwn arnaf.

Mi ddaeth y bregeth honno hefyd i ben, fel pob un arall. Oasis cordiau'r organ. A'n gollyngdod wrth ganu'r emyn olaf yn gwefreiddio'r gân, boed leddf, boed orfoleddus. Gwaeddem yr A-A-Amen olaf gydag arddeliad gan rannu'r teimlad bod rhyw bererindod wedi bod – a darfod. A'n bod ni wedi'i cherdded ar y cyd.

Gadawem y capel fel petai dan fendith nef.

Os pererindod boenus oedd y capel, gwibdaith hwyliog oedd yr Ysgol Sul. Yno, yn y festri fach, caem fod yn ni ein hunain. Trefn go dyner oedd trefn fan hyn. Roedd hi'n gynnes yno. Roedd yno greions, llyfrau a da-das, a chriw o antis ffeind yn ein haddysgu. Caem liwio mapiau (Canaan, wrth reswm), gan nodi lle'r oedd mynydd (Hebron), afon (Iorddonen) neu lyn (Galilea). Caem glywed straeon difyr, anghredadwy bron, am sarff ac afal, arch a dilyw, Jona a physgodyn, a Dafydd fychan ddaru drechu'r cawr, am Joseff a'i frodyr, am Cain ac Abel – ac roedd 'na rywbeth lot nes atom yn y straeon hyn na rhai'r oedfaon capel. Roedden nhw'n lliwgar, yn ddramatig, yn llawn pethau annisgwyl ac yn cynnwys hanner gwyrthiau – ac felly'n nes o lawer at fywyd ei hun, o'n profiad ni ym Methel.

Fel gwobr am ein llafur caem dda-da ar ddiwedd dosbarth (*Chewits* gan amlaf, am fod y rheiny'n cadw'n cegau ynghau), ac ar ôl hel casgliad, a chanu emyn neu ddau, a chydadrodd bendith ar dipyn o ras, caem droi am adref heb ormod o stŵr, i gael ein cinio.

Ar adegau arbennig, megis Cymanfa neu Sul Diolchgarwch, mwynhaem de parti yn y festri fach. Dôi'r dynion atom. Trosid y meinciau trwm yn fyrddau hir a rhoddid lliain papur i'w haddurno. Yn eu ffrogiau lliwgar a'u hesgidiau smart, ciliai'r merched draw i'r gegin i ddarparu'r wledd. A phan ddes innau'n hŷn – yn un ar ddeg, yn ddeuddeg oed – mi gefais ganiatâd i fynd i ganlyn 'y chwiorydd' er mwyn trefnu'r llestri te.

Rhaid oedd gosod y soseri'n gyntaf yn rhesi taclus ar y bwrdd. Yna'r cwpanau, a gwynder y tsieina'n sgleinio dan oleuni'r bylb, a'r stamp glas golau'n creu patrymau ailadroddus. Tollti rhyw fodfedd dda o lefrith i bob un, ac yna, wele, un o'r antis a ddôi dan gario tebot anferth rhwng dwy law. A gwyliwn mewn rhyfeddod ei chrefft yn tollti'r te *pitch pine* i mewn i'r cwpanau, un ar ôl y llall, drosodd a throsodd, heb golli'r un diferyn, a'r baned o de lliw camel yn codi'n uwch rhwng muriau'r gwpan nes dod i stop – ryw fodfedd o'r arfordir aur.

Ac fel Rebecca gynt o'r Beibl cariwn y cwpanau bob yn ddwy drwodd i'r dynion wrth y byrddau hir, y gwŷr disgwylgar a sychedig, yno â'u platiau gwag a'u llwyau arian.

Yfais i erioed 'run dropyn o'r cwpanau hynny. Oren-sgwash oedd diod y plant, a'i liw mor artiffisial lachar â'r bisgedi pinc a gaem i'w bwyta. Erbyn cyrraedd oedran oedolyn, hynny yw, erbyn fy nerbyn yn gyflawn aelod yng Nghapel Bethel, roeddwn eisoes wedi encilio yn fy mhen. Ac roedd fy ffydd – os ffydd y gellid ei galw – allan yn fan'cw, ar y rhostir brwynog yn crwydro, draw tua godreon y mynyddoedd neu ar lannau'r môr, lle mae hi'n dal, hyd heddiw, i ddisgwyl am ymateb i weddïau mud.

Mae Capel Bethel wedi'i werthu erbyn hyn. Y festri hefyd. Mae 'na sôn bod rhyw gynlluniau ar y gweill, er bod parcio'n dal yn broblem am y tro. Ond mae 'na fynwent...

Cyn i ddodrefn a llestri'r capel fynd ar chwâl, gofynnais i'm hathrawes Ysgol Sul – mae'n dal yn anti i mi – am gwpan a soser. I gofio.

A dyma nhw. Yn ornaments prin mewn stydi ddiaddurn.

Mae'n siŵr nad yfa' i byth o'r gwpan. Ond yma ar fy nesg y bydd hi. Y gwpan wag sy'n gwpan lawn. A soser oddi tani. A rhyw ddydd mi gaiff fod yn rhodd i 'mhlant digapel, mwyn, sy'n byw ddwy filltir a hanner (a hanner oes) o Fethel, Arfon.

Dywedais gelwydd ar y dechrau. Mae hi yn cael defnydd weithiau. Pan fyddaf wedi colli'r ffordd, neu'n sychedu, byddaf yn codi'r gwpan at fy nghlust fel petai'n gragen. I glywed cefnfor yn llefaru. Y miwsig cyfareddol. Yr ymadroddion cryf. Y berfau lluosillafog. Y rhythmau a'r delweddau sy'n dal i dynnu ar fy nychymyg.

Clywaf seinio'r düwch a'r goleuni. Tymhestloedd a

thrugareddau. Cyfosodiad y pethau hawdd a'r pethau dyrys. *Gwialen* a *sancteiddiol, afon* a *chyfamod, pren* a *gorsedd gras,* a *Duw sydd noddfa a nerth i ni, cymorth hawdd ei gael mewn cyfyngder.* Yn codi'n don ar don...

Mae'r geiriau'n atsain rhwng muriau plaen fy nghwpan, yn diasbedain yn y gwagle, yn treiddio i enaid f'ymennydd fel llafn o haul trwy ffenest. Yn weddi sydd yn cyfarch absenoldeb. Yn cyfarch absenoldeb ynof i.

Annweledig

Dyheu am weld yr anweledig a wna Ann Griffiths yn llawer o'i cherddi. Dyma'r gwrtheb sy'n rhoi deinameg arbennig i'w gwaith, ac yn ei wneud yn gynnyrch un o feirdd mwyaf gwefreiddiol y Gymraeg.

Wele'n sefyll rhwng y myrtwydd
 Wrthddrych teilwng o fy mryd,
Er mai o ran yr wy'n adnabod
 Ei fod uwchlaw gwrthddrychau'r byd;
  Henffych foreu,
 Y caf ei weled fel y mae.*

Mae ffurfiau ar y ferf 'gweld' i'w cael yn gyson yn ei cherddi, a geiriau sy'n gysylltiedig â gweld yn gyffredin: 'wele', 'dyma', 'amlygu', 'golwg', 'ymddangos', 'pryd', 'gwedd', 'trem', 'edrych', 'syllu', 'datguddiad', 'argraffiad', 'llygad', 'gwrthddrych'. Ceir cyfeiriadau at rwystrau i'r gweld hefyd ('cuddia', 'gorchudd', 'cysgod', 'llenni'). Ac mae'r gair 'anweledig' ei hun – ymgorfforiad ysgrifenedig (gweledol) o'r hyn na ellir ei weld – yn pontio'r cyfan, ac yn cyfleu paradocs yr ysu gweld, y methu gweld, a'r gweld amgen.

Felly, mae'r gweld yn gymhleth yma, a hwnnw'n digwydd nid â'r llygad arferol, ond â llygad y dychymyg, a hynny, medd y gwyddonwyr, mewn proses sy'n rhannol seiliedig ar weld go-iawn. Neu dyna fy nehongliad i, o safbwynt seciwlar ar ddechrau'r unfed ganrif ar hugain. I Ann, fodd bynnag, y gweld mewnol – gweld yr anweledig – oedd y gweld sylfaenol,

* Cymerais yr holl ddyfyniadau o emynau a llythyrau Ann o'r fersiynau a geir yn y gyfrol *Gwaith Ann Griffiths* yng Nghyfres y Fil (Ab Owen, 1905). Cadwyd yr orgraff a geir yno. Daw'r dyfyniad o eiddo Saunders Lewis o *Meistri'r Canrifoedd* (Gwasg Prifysgol Cymru, 1982), 312.

gwirioneddol. Deillio o'r anweledig a wnâi'r byd gweledig iddi hi a'i thebyg, fel y nodir yn nhrydedd adnod yr Hebreaid XI: 'Wrth ffydd yr ydym yn deall wneuthur y bydoedd trwy air Duw, yn gymaint nad o bethau gweledig y gwnaed y pethau a welir'. Yr anweledig oedd flaenaf, ddilysaf, fwyaf gwirioneddol. Dim ond eilbethau, dychmygion, oedd gwrthrychau'r byd gweledig: ar eu gorau, yn ddrych o oleuni Duw; ar eu gwaethaf – yn ddim ond eilunod gwael y llawr:

Oh am dreiddio i'r adnabyddiaeth
　　O'r unig wir a'r bywiol Dduw,
I'r fath raddau a fo'n lladdfa
　　I ddychmygion o bob rhyw.

Ganed Ann (Thomas, fel yr oedd cyn priodi), yn 1776 a pherthynai, felly, i oes a roddai fri newydd ar y gweledol. Gyda thwf empiriaeth, roedd gwyddonwyr ac athronwyr ei chyfnod yn ymddiddori ym mecanweithiau a ffiniau'r gweledol; darganfu Herschel donnau is-goch ym 1800 a darganfu Ritter donnau uwch-fioled ym 1801. Ym Mhrydain, roedd yr hyn y gellid ei alw'n ddiwylliant gweledol – yn gelfyddyd gain, yn bensaernïaeth ac yn dirlunio – wedi datblygu'n fawr ers teyrnasiad y Frenhines Anne ar ddechrau'r ddeunawfed ganrif. Ac yng Nghymru, yn bwysicach efallai, dyma'r adeg y daeth diwylliant gweledol yr argraffwasg i ddylanwadu o ddifrif ar fywydau trwch y boblogaeth. Daeth y werin yn fwyfwy llythrennog a daeth llyfrau'n rhatach a haws eu prynu. Roedd Ann hithau'n enghraifft o hynny: cadwai teulu Dolwar Fach lyfrau a llawysgrifau teuluol, ac roedd Ann yn ddarllenwraig ac ysgrifenwraig rugl, a'i llawysgrifen yn gain ac urddasol. Er nad oeddent yn gyfoethog, o ddarllen rhestr o eiddo Dolwar Fach a luniwyd gan Thomas Griffiths, gŵr Ann, ym 1805, roedd gan y teulu ddigon o fodd ariannol i roi peth sylw i wedd weledol eu cartref, yn ddodrefn (ymhlith y celfi roedd dresel, cistiau, bwrdd), ac yn llestri (piwtar, yn ogystal â phridd). Roedd Ann ei hun yn nodedig am fod yn drwsiadus ei gwisg, 'yn goron o harddwch i'w phroffes', yn ôl John Hughes, a byddai'n gweu sanau 'gorwych' i bregethwyr Methodistaidd tlawd a ymwelai â'r ardal. Roedd y gweledol o bwys iddi.

Pan brofodd Ann ei thröedigaeth yn bedair ar bymtheg oed, ychwanegwyd dimensiwn newydd i'w hymwneud â'r gweledol. Ceisiodd ddallu llygaid y corff ac agor llygaid yr ysbryd:

> Ni ddichon byd a'i holl deganau
> Foddloni fy serchiadau'n awr...

Ond nid oedd yr ymdrech i droi ei golygon oddi wrth 'wrthddrychau'r byd' yn gwbl lwyddiannus. Mewn llythyr at John Hughes sy'n llawn cyfeiriadau at oleuni, tywyllwch, gweld a methu gweld, mynegodd Ann ei phryder dwys am atyniad y byd gweledig iddi o hyd:

> Anwyl frawd, y peth mwyiaf gwasgedig sydd ar fy meddwl, – y pechadurusrwydd o fod dim a welir yn mynd â blaenoriaeth fy meddwl...

Mewn llythyr arall, at Elizabeth Evans, gwelir yr un frwydr gymhleth rhwng ysfeydd y synhwyrau (y gweld yn enwedig, efallai), a'i hymwybyddiaeth grefyddol newydd. Yn y llythyr hwn sonia am ei dyhead angerddol i deimlo presenoldeb yr

Ysbryd Glân ynddi ei hun. Ond mynega'r dyhead hwnnw yn nhermau'r gweledol: mae am ganfod 'dull a modd' yr Ysbryd Glân trwy ei synhwyrau (trwy 'ddatgiddiad'), yn hytrach na thrwy ffydd yn unig (yn 'ddychymigol'). Mae am i'r eilun fod yn 'real' iddi, hynny yw, yn ganfyddadwy trwy'r pum synnwyr:

> Anwyl chwaer, rhwif yn teimlo gradd o syched am ddod i fynu yn fwy mewn crediniaeth am breswiliad personol yr Ysbryd Glan yn fy nghyflwr; a hynu trwy ddatgiddiad, nid yn ddychymigol, gan feddwl amgyffred y dull a'r modd y mae, yr hyn sydd eulinaddoliaeth real.

Gyda chryn ymdrech, felly, a chan ddadleoli annel ei synhwyrau corfforol, y camodd Ann i fydysawd yr anweledig – 'O'm blaen mi wela ddrws agored' – a throdd angerdd a grym ei holl weld tuag at hwnnw, a'r Duw a oedd yn ben arno:

> Yn lle cario corph o lygredd,
>   Cyd-dreiddio a'r côr yn danllyd fry,
> I ddiderfyn rhyfeddodau
>   Iechydwriaeth Calfari;
> Byw i weld yr Anweledig,
>   Fu farw ac sy'n awr yn fyw,
> Tragywyddol anwahanol undeb,
>   A chymundeb a fy Nuw.

Naturiol oedd iddi ddyheu am weld gwrthddrych ei haddoliad, testun ei thanllyd garu a'i holl ddiwinydda. (Po fwyaf yr wybodaeth am rywbeth, onid dwysaf y dyheu am ei weld?) Ac nid oedd dim anuniongred yn nyheadau angerddol Ann. Roedd y nwyd yn gydnaws ag enaid gwresog y Diwygiad Methodistaidd, a'r ysfa gref am gael gweld Duw yn cael ei chydnabod gan Galfin ei hun, er ei fod yn gwahardd yn ffyrnig unrhyw ymgais i'w ddarlunio trwy eilun, darlun ac addurn. Yn wir, mae'r gweledol yn ganolog i'w ddiwinyddiaeth yntau. (Nid yw diffyg addurn yn llai *gweledol* na'i wrthwyneb; estheteg arall yw hi.) A chofiwn mai cyfrwng dilysaf y Gwirionedd i ddilynwyr Calfin – gan gynnwys Ann – oedd yr ysgrythur, geiriau ysgrifenedig y Beibl, iaith ar ei gwedd weledol. (Nid ar hap y cyd-dyfodd Protestaniaeth a'r wasg argraffu, nac wedyn lythrennedd ac anghydffurfiaeth Gymraeg.) Ac mae'r gair argraffedig, gweledol yn fotiff a geir yn emynau Ann Griffiths hithau:

...Gwel dy enw mawr dan orchudd
  Ar y tystion yn y bedd;
Gair o'th enau dont i fyny,
  Ti yw'r adgyfodiad mawr,
Ag argraffiadau yr enw newydd
  Yn ddisglaer arnynt fel y wawr.

Y tu hwnt i wirionedd y gair ysgrifenedig, sicrhaodd Calfin ei ddarllenwyr hefyd y byddai Duw'n ei ddatgelu ei hun yn weledol i'r credadun, ond dim ond yn annelwig, megis y datgelodd ei hun yng ngholofn y cwmwl i Foses yn Llyfr Ecsodus: 'a'm tu cefn a gei di ei weled: ond ni welir fy wyneb.' Yn ymgnawdoliad Crist, fodd bynnag, gallai'r synhwyrau amgyffred Duw yn llwyr. Dyma Dduw ar ddelw dyn. Ac felly galluogwyd dirnadaeth ysbrydol i droi'n ganfyddiad synhwyrus:

Duw y duwiau wedi ymddangos
    Ynghnawd a nattur dynol ryw.

A dyna gyflyru ac angerddoli'r dyhead am gael gweld yr anweledig.

Hyn a geir ar ei anterth yng Nghalfiniaeth gorfforol cerddi Ann Griffiths, a'r tri pheth yn cyffroi ei gilydd i eithafion: angerdd y dyheu, posibiliadau'r gweld, a rhwystredigaeth ddeinamig y methu-gweld.

Cynnyrch y dychymyg gwybodus sydd yn ei barddoniaeth hi. Cyweiniodd Ann ei deunyddiau – yn eiriau, ymadroddion a delweddau – o Feibl William Morgan a fyddai ar agor o'i blaen wrth iddi nyddu, ac o'r ddiwinyddiaeth a drafodai John Hughes a'i chyd-Fethodistiaid â hi, ac fe'u cyfosododd yn glytwaith o ddarluniau annisgwyl a llachar yr oedd ei hathrylith hydeiml ei hun yn eu dal ynghyd:

Ynglyn wylofain bydd fy ymdaith,
    Nes im weled dwyfol waed
O'r graig yn tarddu fel yr afon,
    Ynddo'n wynion myrdd a wnaed;
Goleu'r maen i fynd ymhlaen,
Sef Iesu'n gyfiawnder glân.

Mae'r gweld yn ogoneddus yma. Os dychmygodd neb ohonom heddiw y Gymru wledig, Galfinaidd ar droad y bedwaredd ganrif ar bymtheg yn ffilm dawel, ddu-a-gwyn, darllened weledigaethau *technicolor* cerddi Ann Griffiths sy'n darlunio dyfodiad y pechadur at deyrnas gras a'i daith trwyddi:

Bererin llesg dan rym y stormydd
    Cwyd dy olwg, gwel 'n awr,
Yr Oen yn gweini'r swydd gyfryngol,
    Mewn gwisgoedd lleision hyd y llawr;
Gwregys auraidd o ffyddlondeb,
    Wrth ei odreu clychau'n llawn
O swn maddeuant i bechadur
    Ar gyfri'r anfeidrol iawn.

Pen y daith ddramatig hon oedd cael nesáu at orsedd Duw ei hun:

Ac yn mhlaen dan waeddi 'Maddeu,'
    Af a syrthiaf wrth ei draed,
Am faddeuant, am fy ngolchi,
    Am fy nghanu yn ei waed.

A deuai adnabyddiaeth lwyr o Dduw pan welid ei wyneb:

Nid oes wrthrych ar y ddaear
    Leinw'm henaid gwerthfawr, drud;
Fy unig bleser a'm diddanwch
    Yw hyfryd wedd Dy wyneb-pryd.

Mae cyflawnder ei byd anweledig lliwgar a llachar hyd yn oed yn fwy trawiadol o gofio nad oedd fawr ymgorfforiad allanol i grefydd Ann adeg cyfansoddi'r farddoniaeth hon. Nid oedd iddi nac eglwysi gwych na chelfyddyd liwgar, wrth gwrs. Ond cofiwn hefyd mai prin oedd capeli Methodistaidd o unrhyw fath yn Sir Drefaldwyn ar y pryd, ac ymgynulliai'r seiadau mewn tai cyffredin (a chanddynt, ar y gorau, air ar ddarn o bapur yn eu trwyddedu). I addolwyr Pontrobert c.1800, eu hunig eglwys oedd cegin Dolwar Fach; nid oedd teml nac allor nac unrhyw ffurf weledol arall yn gefndir nac yn llwyfan i'r holl ddrama ddwyfol a ymwnaent â hi yn ddyddiol. Gyda'r llygad mewnol y gwelent y cyfan, ac awch y llygad hwnnw wedi'i lymhau gan argyhoeddiad:

Ffordd na chenfydd llygad barcut,
  Er ei bod fel haner dydd,
Ffordd ddisathar anweledig
  I bawb ond perchenogion ffydd;

'Ffydd yn wir yw sail y pethau yr ydys yn eu gobeithio, a sicrwydd y pethau nid ydys yn eu gweled,' meddai'r Hen Destament (Ecsodus XI,1), ac yn sicr, i Ann a'i chyd-addolwyr, roedd y byd anweledig yn sicrwydd dilys. I mi heddiw, 'gwrth-ddrych' (adlewyrchiad) o athrylith a hydeimledd ac angerdd Ann ei hun yw ei gweledigaethau ysbrydoledig. Ond i Ann, Duw oedd eu hawdur. Ni wnâi hi ond eu canfod. Ac yn hynny o beth, gallai gredu ynddynt; gallai ildio iddynt; a gallai ymlawenhau ynddynt heb ofni pechod. A daw gogoniant y farddoniaeth o'r modd yr argyhoeddir Ann ei hun gan wefr y gweld:

Rhosyn Saron yw ei enw,
  Gwyn a gwridog, teg o bryd,
Ar ddeng mil y mae'n rhagori,
  O wrthddrychau pena'r byd.

Yng ngeiriau Saunders Lewis, dyma 'edrych hollol werthfawrogol, edrych sy'n rhyfeddu ac yn addoli ac yn fendithio ac yn llawenydd pur':

> Diolch byth, a chanmil diolch.
>   Diolch tra bo ynwi chwyth,
> Am fod gwrthrych i'w addoli,
>   A thestyn cân i bara byth.

Yn sicr, mae'r ildio gorfoleddus hwn yng ngwrthrychau real ei dychymyg – 'ymddifyru yn ei berson / A'i addoli byth yn Dduw' – yn un o nodweddion mwyaf dirdynnol ei gwaith, ac mae a wnelo hynny'n benodol â'r paradocs a grybwyllwyd ar y dechrau, sef mai dyheu am weld yr anweledig y mae Ann a bod hwnnw'n ddyhead sy'n parhau heb ei gyflawni. Amodol yw'r cyfan, a chystrawen nodweddiadol yr 'O am...' yn cymell y gweld, ac eto'n ei danseilio yr un pryd:

> O am syllu ar ei berson...
> O am gael treilio f'oes...
> O am bara i lynu wrtho...

Dim ond trwy angau y daw'r gweld cyflawn – y cydymdreiddiad llwyr â pherson yr Arglwydd. Ond angau hefyd fydd diwedd y dyheu gweledigaethus, gwefreiddiol. Daw'r corff, felly, yn faes brwydr, yn lleoliad y gwrtheb mwyaf dirdynnol yng ngwaith Ann Griffiths: y corff synhwyrus sydd yn galluogi'r holl weld, ond y corff hefyd sy'n rhwystro iddi weld yr anweledig yn ei gyflawnder:

Rhyfeddu a wnai â mawr ryfeddod
    Pan ddel i ben y ddedwydd awr
Caf weld fy meddwl, sy yma'n gwibio
    Ar ol teganau gwael y llawr,
Wedi ei dragywyddol setlo
    Ar wrthddrych mawr ei berson Ef,
A diysgog gydymffurfio
    A phur a sanctaidd ddeddfau'r nef.

Pan ddaw'r cydymffurfio, daw diwedd ar yr ysu dychmygus.

Yn ei cherddi a'i llythyrau mynegodd Ann droeon ei dyhead am ddedwydd awr marwolaeth, am gael ymadael â byd amser a mynd i'r byd a bery byth. Yr enghraifft fwyaf trawiadol, efallai, yw'r ychydig frawddegau a geir yn ei llythyr at Elizabeth Evans sy'n dangos bod ei dyhead am yr anweledig yn gallu mynd yn drech na'i hawydd am fodolaeth gorfforol:

> Anwyl chwaer, rwyf yn gweled mwy o angen nac erioed am gael treilio y rhan su ar ol dan rhoi fy hun yn feunyddiol ac yn barhaus, gorph ac enaid, i ofal yr hwn su yn abal i gadw yr hyn a roddir ato erbyn y dydd hwnw. Nid rhoi fy hun unwaith, ond byw dan roi fy hun, hyd nes ac wrth roi y tabernacle hwn heibio. Anwyl chwaer, mae meddwl am i roi o heibio yn felus neillduol weithiau, gallaf ddweyd mai hyn sydd yn fy lloni fwyaf o bob peth y dyddiau hyn, – nid marw ynddo ei hun, ond yr elw mawr sudd yw gael trwyddo... cael cydymffuriad cyflawn... a mwynhau delw Duw am byth.

Hawdd yw brawychu wrth ddarllen geiriau o'r fath gan ferch ifanc ddeallus a synhwyrus, yn enwedig wrth inni weld o'r geiriau a'u dilyna, nid yn unig ei bod yn sylweddoli grym anghytbwys yr anweledig drosti, ond ei bod yn dal i gael ei llorio gan 'ddamhegion' atyniadol y byd gweledig hefyd:

> Anwyl chwaer, byddaf yn cael f'llwngu gimaint weithiau i'r pethau hyn, fel ag y byddaf yn misio yn deg a sefyll gyda phethau amser, ond disgwil am yr amser i gael fy natod a bod gyda Christ, canys llawer iawn gwell ydiw, er ei bod yma yn dda iawn trwy ddellt, a bod yr Arglwydd yn ddatgyddio gymaint o'i ogoniant weithiau trwy ddrych mewn dameg a all fy ngyneddfau gweiniad i ddal.

Hawdd gresynu at y nwyd a ddargyfeiriwyd, ac at y llurgunio Calfinaidd ar brofiad byw. A hawdd gresynu na chafodd Ann addysg ehangach, na chafodd weld y byd, na chafodd gyfryngau helaethach i'w hathrylith ac na chafodd hefyd y rhyddid cydwybod i fynegi'n gyflawnach ogoniant y byd gweledig, a'i swyn drosti.

Eto, nid ysfa farw afiach sydd yma – er mai felly yr ymddengys heddiw – ond awydd i fyw'n gyflawnach trwy wireddu dyheadau ei dychymyg gweledigaethus. (Pa ryfedd, a'r byd anweledig yn gymaint mwy lliwgar, dramatig, trefnus a gorfoleddus na realiti llafur corfforol caled cadw tŷ a gweithio ar fferm?) Ac os oes yn fy nhrafodaeth i resynu at ddyheadau arallfydol Ann Griffiths, mae yma hefyd eiddigeddu – at bosibilrwydd ei gorfoledd ysbrydol, at yr eirfa gwmpasog a feddai i'w fynegi, ac at ei phererindod anweledig lwyr.

Eironi dirdynnol y cyfan yw i'w dyhead gael ei wireddu mor gynnar. Yn 1803, a hithau'n saith ar hugain, collodd Ann ei thad. (Roedd wedi colli ei mam ddeng mlynedd ynghynt, ac roedd hynny wedi effeithio'n fawr arni.) Yng ngeiriau John Hughes, dywedodd marwolaeth ei thad yn 'ddwys ar feddwl Ann, hyd oni wanychodd gryn raddau ar ei hiechyd tra bu byw'. Y flwyddyn ganlynol priododd, nid â'r Duw anfeidrol, ond â'r Methodist ymroddedig, caredig, Thomas Griffiths, a oedd yn gefn iddi ymhob agwedd ar ei bywyd. Ond o'r unig dystiolaeth weledol sydd gennym o deimladau Ann adeg y briodas fydol hon, llethwyd hi gan gynnwrf: yn groes i wedd urddasol ei llawysgrifen arferol, anwastad a chrynedig yw ei llawysgrifen lle y torrodd ei henw ar dystysgrif ei phriodas.

Beichiogodd Ann yn fuan wedyn. A dyna agor bydysawd anweledig o fath gwahanol iddi, a hwnnw wedi ei wreiddio'n ddwfn yn y 'byd o amser', sef bydysawd mewnol cario plentyn yn eich croth. Wrth i'r baban dyfu ynddi, daeth mwy o bwys i'w bodolaeth gorfforol, yn wrth-bwys diriaethol i'w hediadau crefyddol. Ond nid oes llythyrau nac emynau o eiddo Ann Griffiths sy'n sôn am ofnau a chyffroadau, pryderon a gorfoledd beichiogrwydd. Nid oedd geirfa'r ysgrythur yn eu cwmpasu, ac nid oedd Calfiniaeth yn eu cydnabod.

Ym mis Awst 1805, esgorodd Ann ar ferch, Elizabeth. Yn sydyn, daeth yr anweledig yn weledig yn ei chôl. Ond byr oedd llawenydd y gweld hwnnw. Bedyddiwyd y ferch fach yn syth. Nid oedd disgwyl iddi fyw. Bu farw'n bythefnos oed.

Ysigwyd corff Ann hithau gan yr esgor. Roedd yn 'dra gwanaidd, a than ddiffyg anadl i raddau mawr, fel nas gallodd lefaru ond ychydig' wedyn. Ac yn un o'r datganiadau tristaf yn hanes ein llenyddiaeth, dywed John Hughes nad oedd Ann yn ei dyddiau olaf mor argyhoeddedig, wedi'r cwbl, o'r 'elw mawr' a ddôi iddi trwy farw:

> Dywedai ei bod wedi dymuno lawer gwaith am gael gwely angeu yn adeg olau ar ei meddwl, ond erbyn myned iddo nad ydoedd yn edrych cymaint ar hyny...

I hon, yr artist synhwyrus y bu dyheu am weld, a methu gweld, a'r gweld ei hun, mor ystyrlon a chynhyrfus iddi, nid oedd ildio'n derfynol i'r anweledig yn hawdd. Bythefnos wedi marw'r baban, bu farw Ann, a hithau heb fod eto'n ddeg ar hugain oed.

I ni heddiw sy'n dal i gael ein gwefreiddio gan ymwneud Ann â'r anweledig, rhyfedd yw meddwl mor anweledig ydyw hithau, ac na all holl gyfoeth ein harchifau na thechnoleg weledol yr unfed ganrif ar hugain ei datguddio i ni. Anweledig oedd ei cherddi yn ystod ei bywyd, yn bodoli ar lafar yn unig, nes i gyfeillion Ann – John a Ruth, yn bennaf – eu cofnodi ar bapur. Ac ychydig o olion ei bodolaeth gorfforol a adawodd Ann ar ei hôl: un llythyr yn ei llaw ei hun a oroesodd. Mae'r hen Ddolwar Fach wedi mynd, a ffermdy newyddach yn ei le, ac yn wir, gellid dadlau bod y diwylliant anghydffurfiol a roddodd fod i farddoniaeth ryfeddol Ann yntau'n mynd yn fwyfwy anweledig.

Nid oes llun o Ann yn bod, heblaw am y ddelw erchyll ohoni yn y capel coffa yn Nolanog, yn ddi-liw, di-waed, di-gorff, ac yn debyg i ddyn. Hi o bawb. Soniodd John Hughes yn gariadus, atgofus am ei hwynebpryd gwyn a gwridog, ei thalcen lled uchel, a'r golwg lled fawreddog oedd arni, ond nid yw hynny, ryswut, yn ddigon i roi wyneb i'r llais. (Mae clywed canu ei geiriau mewn llais cydnaws, megis yn llais ysgafn a chryf Sian James, yn fwy awgrymog, efallai.)

Pa ots bod Ann yn anweledig? Dim, efallai. Ond ei bod yn naturiol dyheu am weld gwrthddrych eich addoliad. A pho fwyaf yr wybodaeth am rywbeth, onid dwysaf y dyheu am ei weld?

Diolch i John a Ruth, mae ei geiriau gennym o hyd, a'i dyheadau a'i gweledigaethau gwefreiddiol. Ac Ann ei hun, yn ymrithio'n wrth-ddrych i'r cyfan, yn ein hatgoffa ninnau bod yr anweledig yn bod.

Tri myfyrdod ar bapur tŷ bach

Papur ar dap. Papur y gallwch dynnu ei goes. Papur y mae'r dim yn y canol yn ei ddiffinio – fel polo mint. Papur di-sôn-amdano. Papur di-ben-draw...

1.

Mae'n saith o'r gloch y bore. Dwi'n gyrru trwy bentref Bontnewydd gyda Ngũgĩ wa Thiong'o yn fy nghar. Mae'r plant, yn ddyflwydd a phedair, yn dawedog yn eu seddau yn y cefn. Bob hyn a hyn mae Ngũgĩ'n troi atynt i sgwrsio, a'r ddau'n ateb 'yes' a 'no' yn eu Saesneg prin.

Mae'r nofelydd byd-enwog o Kenya angen bod yn stesion Bangor ymhen hanner awr. Mae o angen dal y trên i Lundain ac yna awyren o Heathrow i America. Wrth inni gyrraedd yr orsaf mae'r plant yn mynnu dod allan o'r car i hebrwng Ngũgĩ at ei drên, y ddau'n croesi'r platfform yn eu slipars, yn dilyn ôl ei droed heb ddweud gair. Mae'r ffarwél yn ddigon diffwdan. Ond wrth i'r trên ymadael, a llithro o'r golwg i'r twnnel, mae'r pethau bach yn dechrau beichio crio.

Anodd yw cael ar ddallt am funud. Mae 'na gryn snwffian ac igian. Ymdrechu i gael eu gwynt. Hi, y ddyflwydd, sy'n esbonio gyntaf, o ganol ei dagrau a'i geirfa brin:

'Misio... Gwgi... fynd!'

Wrth i'r gofid gael ei roi mewn geiriau, mae ei dafod yntau'n cael ei rhyddhau.

'Na finna! Dwi'm isio Gwgi fynd chwaith!'

Mae'r wylo'n parhau yr holl ffordd adref. Mae'r ddau fach eisiau i Gwgi ddod yn ôl.

Ond ymweliad unwaith ac am byth oedd hwnnw. A dweud

y gwir, roeddwn yn synnu iddo ddod o gwbl, y dyn prysur a nodedig hwn, ac yntau'n awdur, dramodydd ac ysgolhaig; yn Athro mewn Llenyddiaeth Gymharol ym Mhrifysgol Califfornia, Irvine; yn llenor o bwys rhyngwladol a enwebwyd fwy nag unwaith am Wobr Nobel. Mewn gobaith caneri y gwahoddais o atom yn y lle cyntaf. Roedd staff Ysgol y Gymraeg wedi bod yn trafod ei waith rhwng ein gilydd, y gyfrol *Decolonising the Mind* yn enwedig, lle'r oedd Ngũgĩ wedi mynnu bod angen arddel ieithoedd brodorol ac ieithoedd lleiafrifol yn y frwydr yn erbyn trefedigaethedd. Creai imperialaeth hierarchaeth o ieithoedd, dadleuodd. A phesgai'r ieithoedd mawr ym mynwentydd y rhai bychain. Er mai sôn am ieithoedd brodorol Affrica a wnâi Ngũgĩ yn benodol, roedd hon yn ddadl a atseiniai ym mhedwar ban byd.

'Fuasech chi'n fodlon dod i ogledd Cymru?' holais yn fy e-bost ato, gan anobeithio, rywsut, hyd yn oed cyn gwasgu *send*.

Synnais pan ddaeth ei ateb. Dôi, mi ddôi Ngũgĩ wa Thiong'o atom i'r brifysgol. Roedd o'n digwydd bod ym Mhrydain ym mis Mai beth bynnag, a byddai'n bleser ganddo ddod i Fangor – pe câi docyn trên, a lle i aros noson.

Cawsom ddarlith hynod ddifyr ganddo, a chafodd yntau gynulleidfa dda a gwerthfawrogol, nid dim ond o'r brifysgol, ond o blith y gymuned ehangach hefyd. Yn groes i lawer o academyddion Bangor (gan gynnwys y rhai a wrandawai arno y pnawn hwnnw), roedd Ngũgĩ wedi dysgu ychydig o eiriau Cymraeg o fewn oriau i gyrraedd. Siaradodd yn Gymraeg ar ddechrau'i ddarlith, ac yn ein sgyrsiau wedyn holai gryn dipyn am yr iaith, ei llên a'i hanes, gan ofyn pa lyfrau y dylai eu darllen ar ôl mynd yn ôl i America, y wlad y bu'n byw ynddi ers mynd yn alltud o Kenya ddechrau'r 1980au.

Amser swper aethom i'r Goeden Eirin, cartref John ac Eluned Rowlands, lle cafodd Ngũgĩ lety dros nos hefyd – hynny oedd yn weddill ohoni erbyn i'r llymeitian a'r sgwrsio ddod i ben. Roeddwn wedi hen fynd adref (roedd fy mam yn gwarchod), ond mi ddes yn ôl ben bore wedyn, efo'r plant, i hebrwng Ngũgĩ at ei drên.

Ddeuddeng mlynedd yn ddiweddarach, mae'r plant yn dal i gofio Gwgi, er mai cwta hanner awr y buont yn ei gwmni. Maent yn cofio anwyldeb ei gymeriad, ei foneddigeiddrwydd tawel, ac maent yn chwerthin, ychydig yn hunanymwybodol, am iddynt grio ar ei ôl.

Erbyn hyn rydw i wedi cael amser i ddarllen mwyafrif ei lyfrau, yn nofelau, yn ysgrifau ac yn gyfrolau beirniadol. Cefais flas neilltuol ar ei dair cyfrol hunangofiannol: *Dreams in a Time of War,* hanes ei blentyndod ym mhentref Kamiriithu (cyfnod dioddefus a chythryblus ar lawer ystyr, a'i hanner brawd yn aelod o Fyddin Rhyddid Kenya, neu'r Mau Mau fel y'i gelwid yn watwarus gan yr awdurdodau Prydeinig); *In the House of the Interpreter,* hanes ei addysg yn ysgol uwchradd Alliance lle meithrinid bechgyn Kenyaidd disglair yng ngwerthoedd ac arferion Prydain Fawr (mae'r cyfan yn ysgytwol); ac yn olaf, *Birth of a Dream Weaver,* darlun o'i gyfnod ym Mhrifysgol Makarere, Uganda, ei ddeffroad llenyddol, a thwf ei ymwybyddiaeth Affricanaidd. Profiad sobreiddiol oedd darllen y cyfan. Roedd graddfa'r trais a'r darostyngiad – boed yn gorfforol, yn seicolegol, neu'n ddiwylliannol – yn frawychus. Teimlwn gywilydd cynyddol po fwyaf y darllenwn. Cefais hefyd lawnach amgyffrediad o ddulliau'r Ymerodraeth Brydeinig, a'i rhychwant eang o offerynnau, rhai amrwd a rhai soffistigedig, wrth gwblhau'r gwaith o lurgunio meddwl a rheoli corff y rhai oedd i'w rhoi dan iau. Gwelais fod gradd ei bryntni a'i barbareiddiwch yn cynyddu pella'n byd yr aech o Lundain.

Cyfrol arall a wnaeth argraff ddofn arnaf oedd *Wrestling with the Devil: A Writer's Prison Memoir*. Yn hon darluniodd Ngũgĩ ei brofiadau'n garcharor yn y Kamiti Maximum Security Prison ddiwedd y 1970au. Ei drosedd honedig oedd llunio drama yn ei famiaith, Gĩkũyũ (drama o'r enw *Ngaahika Ndeenda*), ac yna mynd ati gyda'i gyd-bentrefwyr i'w llwyfannu yn eu canolfan gymunedol leol. Arestiwyd o'n ddirybudd mewn cyrch ganol nos, a'i wraig yn feichiog, ac fe'i carcharwyd heb achos llys na math o wrandawiad, a heb syniad am hyd ei ddedfryd. Eironi mwyaf y bennod hon yn hanes Ngũgĩ oedd mai dan awdurdod Jomo Kenyatta, Arlywydd cyntaf Kenya annibynnol, a Daniel arap Moi, ei ddirprwy, y digwyddodd hyn – arweinwyr gwrthryfelgar a edmygai Ngũgĩ yn ystod brwydr ei wlad dros ryddid. Yn y gyfrol â yntau i'r afael â ffenomen neo-imperialaeth, sef y modd y cyflyrir 'rhyddid' cyn-drefedigaeth i raddau andwyol gan y drefn imperialaidd fu yno gynt. Hyd yn oed os ymadawodd llywodraethau Ewrop â'u gwladfaoedd yn y degawdau wedi'r Ail Ryfel Byd (ar ôl eu hysbeilio'n ddidrugaredd), wnaethon nhw ddim gadael iddyn nhw fod. Roedd 'na elw'n dal i'w ddwyn ohonynt. Roedd eu gwaddol yn gadael ei ôl. A dewiswyd yr arweinwyr Affricanaidd newydd yn sinigaidd-ofalus.

Mae *Wrestling with the Devil* hefyd yn gofnod cofiadwy o frwydr carcharor gwleidyddol â darostyngiad corff a nychiad yr ysbryd. Yn gynnar wedi'i garchariad gwelodd Ngũgĩ mai ceisio hoelio'i feddwl ar rywbeth y tu hwnt i bedair wal ei gell, a rhyddhau'i ddychymyg, oedd y ffordd orau iddo ddal ei dir yn erbyn trais seicolegol trefn Kamiti. Roedd eisoes yn nofelydd adnabyddus yn y Saesneg. Yn awr, rhwng muriau carchar, penderfynodd lunio'r nofel fodern gyntaf yn yr iaith Gĩkũyũ. Galwodd hi'n *Caitaani mũtharaba-inĩ* (*Devil on the Cross* yw'r teitl Saesneg), a'i phrif gymeriad fyddai Wariinga: merch ifanc feddylgar, benderfynol y byddai twf ei hymwybyddiaeth Affricanaidd yn sail i brif naratif y nofel.

Ond roedd un anhawster sylfaenol. Doedd yna ddim papur. 'Paper,' ysgrifennodd Ngũgĩ, 'any paper, is about the most precious article for a political prisoner.' Roedd papur yn arf. Roedd papur yn gynhaliaeth. Gwyddai'r awdurdodau hynny. Ac felly fe'i gwaherddid yn llwyr.

Yna daw un o ebychiadau mwyaf allweddol y gyfrol: 'But wait! There was the toilet paper!'

Mae'n stori gyfarwydd. Daeth gwaredigaeth i Ngũgĩ, i'w greadigrwydd ac i'w iawn bwyll, gan bapur tŷ bach. Caniateid dogn o hwn i'r carcharorion bob wythnos, yn becyn o sgwariau unigol. 'The paper itself was not the soothing, softy-softie kind,' manylodd yntau:

> It was actually hard, meant to punish prisoners, but it turned out to be great writing material, really holding up to the ballpoint pen very well. What was hard for the body was hardy for writing on.

Pan aeth y si ar led trwy gelloedd Kamiti bod Ngũgĩ'n ysgrifennu nofel, cyfrannodd y carcharorion eraill o'u cyflenwad nhw tuag at y gwaith. Roedd pob sgwaryn yn cyfrif, pob darn o bapur yn rhan o'r frwydr yn erbyn gormes y carchar. A gwyddai Ngũgĩ, wrth gwrs, ei fod, wrth ysgrifennu ar bapur tŷ bach rhwng muriau cell, yn rhan o dras o lenorion Affricanaidd a wnaeth yr un modd: rhai fel Kwame Nkruma, y gwleidydd o Ghana; Wole Soyinka, y nofelydd a'r dramodydd o Nigeria; a Dennis Brutus, y bardd o Dde Affrica a fu'n gaeth yn Robben Island, yr un man â Nelson Mandela. Cydiai'r ddolen bapurol nhw at ei gilydd ar draws eu cyfandir eang ac ysbeiliedig, yn un gadwyn o lenorion Affricanaidd herfeiddiol. A rhoddodd yr ymwybyddiaeth hon nerth i Ngũgĩ ddal ati: 'Now the same good old toilet paper,' ysgrifennodd, 'has enabled me to defy daily the intended detention and imprisonment of my mind.'

Eto, gwyddai mai menter beryglus oedd hi, ac er mwyn twyllo'r swyddogion pe dôi cyrch, gadawodd ddrafftiau gwrthodedig ei nofel ar y bwrdd yn ei gell, a chuddio'r penodau gorffenedig rhwng haenau o bapur tŷ bach oedd heb ei ddefnyddio (ei gyflenwad personol, fel petai). Pan ddaeth y cyrch, cipiwyd y drafftiau, yn ôl y bwriad, oddi ar y bwrdd. Ond yr un pryd, gan farnu bod ganddo ormod o'r hanner o bapur glân hefyd, aeth y swyddogion â mwyafrif hwnnw oddi arno – gan gynnwys llawysgrif gyfan ei nofel. Bu'n agos i Ngũgĩ dorri'i galon:

> Only a writer can possibly understand the pain of losing a manuscript, any manuscript. With this novel I had struggled with language, with images, with prison, with bitter memories, with moments of despair, with all the mentally and emotionally adverse circumstances in which one is forced to operate while in custody, and now it had gone.

Dair wythnos yn ddiweddarach, fodd bynnag, dychwelwyd y llawysgrif iddo. Roedd y ddarpar nofel wedi mynd i ddwylo'r Llywodraethwr. Roedd yntau wedi bwrw cip arni, ac ar ôl nodi bod defnydd Ngũgĩ o'r iaith Gĩkũyũ yn ddyrys braidd ac yn anodd ei ddarllen, barnodd nad oedd fawr ddim yn y nofel yn bygwth y drefn ac na wnâi ddrwg i neb. Arbedwyd hi o ddannedd ebargofiant.

Ddwy flynedd wedyn, yn 1980, a Ngũgĩ erbyn hynny'n ddyn rhydd, fe'i cyhoeddwyd. Mae *Caitaani mũtharaba-inĩ* bellach yn un o lyfrau pwysicaf hanes llên Affrica.

2.

Ymhlith y rhai a wrandawai ar Ngũgĩ wa Thiong'o yn siarad ym Mangor yn 2008 roedd Angharad Tomos, ac fe soniodd am hynny yn ei cholofn wythnosol yn *Yr Herald Cymraeg* yr wythnos ddilynol. Wrth i mi ddarllen ei hymateb hi i sgwrs y nofelydd o Kenya, daeth dwy ddolen bapurol arall ynghyd yn fy mhen. Meddyliais am Blodeuwedd.

Roedd nofel gynnar Angharad Tomos, *Yma o Hyd*, yn destun gosod ar y modiwl 'Rhyddid y Nofel' a ddysgwn yn y brifysgol, nofel ar ffurf dyddiadur, a nofel a ysbrydolwyd (fel *Carchar* Meg Elis), gan brofiadau'r awdur mewn sawl carchar yn sgil ei gweithgarwch dros Gymdeithas yr Iaith Gymraeg o ddiwedd y 1970au ymlaen.

Ar dudalennau cyntaf *Yma o Hyd*, fel *Wrestling with the Devil*, ceir myfyrdodau'r prif gymeriad ar bapur tŷ bach:

> Ufflon o beth anodd i sgwennu arno fo ydi papur lle chwech, hefyd. Mae o'n rhy denau i fod o werth ac mae'r feiro'n rhy drwm arno fo. Os dwi'n sgwennu ar yr ail ochr, mae'r inc o'r ochr gynta'n dod trwodd. [...] Mae yna *Government*

Property ar waelod pob darn. Dydyn nhw ddim am i chi anghofio'ch bod chi'n ddibynnol arnyn nhw, hyd yn oed am y pethau lleia.

Wrth gwrs, nid un o'r 'pethau lleia' yw'r papur lle chwech i Blodeuwedd. Fel i Ngũgĩ yntau, mae'n dod yn gyfrwng gwaredigaeth feddyliol iddi ac yn llestr ei chreadigrwydd. Ac fel Ngũgĩ, mae Blodeuwedd hithau'n ymwybodol o'r traddodiad o ysgrifennu mewn carchar. Crybwylla enwau John Bunyan, Dietrich Bonhoeffer, Martin Luther King a hyd yn oed yr Apostol Paul wrth fynd ati i ysgrifennu ei dyddiadur. Ond gwneud hynny er mwyn dibrisio'i gwaith ei hun y mae Blodeuwedd, ac mae hynny'n cyd-fynd â'i chymeriad anymhonnus, brathog drwy gydol y nofel. Yn groes i'r 'perlau' eraill, myn nad oes ganddi hi 'ddim i sgwennu amdano'; dim ond 'rhywbeth i'w wneud' yw ysgrifennu'r dyddiadur iddi; a thybia mai cael 'ei daflu' wnaiff o yn y man.

Ond gorchudd go denau yw'r dôn amddiffynnol hon sy'n cuddio'r ffaith fod yma unigolyn – a llenor – angerddol sy'n ysu i roi mynegiant i'w phrofiad ac sydd yn barod i wneud hynny mewn modd cignoeth, di-dderbyn-wyneb. 'Mae papur yn bwysicach na dim i garcharor,' cyfaddefa. 'Hebddo, waeth iddo fo fod yn gabatsien ddim.' Mae ysgrifennu'n fodd i oroesi iddi. Gwelir hynny'n eglur pan anfonir llyfr nodiadau gwag ati, yn rhodd gan ei mam: mae ymateb Blodeuwedd i'r rhodd honno'n un o'r adegau prin yn y nofel pan fynega ddiolchgarwch gwirioneddol:

Jumbo pad. 200 pages. Lined Feint. Neis. Glân. Gwyn. Trwchus. Lot a lot o dudalennau i'w cyffwrdd a sgwennu

> arnyn nhw. Dwy feiro efo oes hir o inc tu mewn iddyn nhw. Fasa'r pecyn yna'n fy nghadw i i fynd am fis yn hawdd. [...] Tasa hi 'di lenwi fo efo geiriau, fasa fo ddim yn gallu golygu mwy.

Wrth gwrs, cymerir y llyfr ysgrifennu gwag oddi arni'n syth. Fel yng ngharchar Kamiti yn Kenya, mae papur wedi'i wahardd yng ngharchardai Lloegr hefyd.

Papur tŷ bach yw unig achubiaeth Blodeuwedd, felly. Ac mae rhywbeth priodol, rhywbeth sy'n cydweddu â'i chymeriad gwrtharwrol hi, yn ninodedd y deunydd hwnnw. Nid yr un fyddai uniongyrchedd bwrw-perfedd y nofel petai wedi ei hysgrifennu ar y *Jumbo pad* gwyn, glân a dderbyniodd yn rhodd gan ei mam, ac ni ellir ond teimlo bod y neges a'r cyfrwng yn perthyn yn agos i'w gilydd yn *Yma o Hyd*. Daw papur tŷ bach Ei Mawrhydi'n fodd i Blodeuwedd leisio'i theimladau, yn gymysg oll i gyd, am gyflwr Cymru dan iau Prydeindod ganol y 1980au.

Roeddwn i yn fy arddegau bryd hynny, ac mae'r dicter a'r ofn a'r chwerwedd sy'n nodweddu llais Blodeuwedd yn *Yma o Hyd*, a'r gwrthryfel greddfol hefyd, yn nodweddu awyrgylch y cyfnod i lawer o Gymry ifanc. Roedd polisïau marchnad rydd Thatcher ar eu hanterth; jingoistiaeth Brydeinig rhyfel y Malvinas yn dal yn diasbedain; cau'r pyllau glo'n darnio cymunedau Cymreig; diweithdra newydd gyrraedd ei lefel uchaf erioed a thlodi'n gwaethygu; ac yn goron ar y cyfan, roedd y pryder am y ras arfau niwclear rhwng yr Unol Daleithiau a'r Undeb Sofietaidd, a rhan Prydain yn hynny, yn gysgod parhaus (mae protest Comin Greenham yn bresenoldeb cryf yn *Yma o Hyd* hithau). Doedd o ddim yn gyfnod hawdd tyfu'n oedolyn ynddo. Ond roedd sawl peth yn ein hysbrydoli. Roedd cerddoriaeth bop Gymraeg yn fodd i fynegi dicter ac *angst* y cyfnod yn ein hiaith ein hunain. A'r ysgogiad arall oedd y dimensiwn rhyngwladol. Fel y gwelir o fyfyrdodau Blodeuwedd, roedd ymgyrchu dros hawliau'r Gymraeg yn rhan o symudiad ehangach dros gyfiawnder a thegwch, ac yn perthyn yn naturiol i weithgarwch mudiadau fel CND, *Greenpeace* a'r mudiad gwrth-apartheid. Aem i ralïau Cymdeithas yr Iaith mewn crysau-T yn mynnu *Rhyddid i Nelson Mandela*, a chyd-ganem gytgan 'Dan ni'm yn rhan o'th gêm fach di' mewn gigs Maffia Mr Huws yn erbyn imperialaeth filwrol Ronald Reagan a'i jôcs di-chwaeth am danio taflegrau niwclear tuag at Rwsia.

Mae trafod *Yma o Hyd* a *Wrestling with the Devil* ochr yn ochr â'i gilydd, felly, yn ddadlennol ac yn ystyrlon. Mae yna ddolen gydiol. Dyma leisiau dau garcharor sy'n herio'r drefn. Dau garcharor sy'n myfyrio ar oblygiadau imperialaeth Brydeinig ac (ôl-)drefedigaethedd. Dau garcharor sy'n ysgrifennu yn eu mamiaith ddirmygedig. A hefyd ddau garcharor, dau lenor, sy'n teimlo angen ysol i dorri gair ar bapur – ac sy'n gwneud hynny ar bapur tŷ bach. Mae ysgrifennu'n rheidrwydd iddynt. Mae'n rhyddid o fath iddynt. Mae'n gwmni iddynt – yn creu'r posibilrwydd o ddarllenydd, y posibilrwydd o gymundeb, ac o gymuned. Ac mae ysgrifennu yn eu mamiaith, yn benodol, yn eu galluogi i gadw'u hunaniaeth mewn carchardai Saesneg eu hiaith.

Yn achos Blodeuwedd, trwy farcio eiddo Ei Mawrhydi â geiriau ei hiaith ei hun, a thrwy'r cyfeiriadau cynnil at lenyddiaeth Gymraeg sy'n britho'i chofnodion dyddiadurol, gall fynegi'i hunaniaeth, a dal gafael ynddi, yn Gymraes Gymraeg mewn carchar yn Lloegr. Gwelir hyn yn fwyaf eglur tua diwedd y nofel, pan fo'i charchariad yn dechrau dweud arni'n feddyliol, a hithau'n ceisio gweiddi yn Gymraeg ar ei chyd-garcharorion:

> 'HEI CHI – DOWCH ALLAN!'
> Cymraeg. Rhyfedd clywed sŵn Cymraeg. Ddim wedi clywed Cymraeg ers talwm. Colli clywed Cymraeg. Sŵn rhyfedd ydi Cymraeg. Sŵn gwahanol. Sŵn clên. Sŵn cartrefol...
> Dydyn nhw ddim yn dallt. Mae 'ngwefusau i'n oer yn erbyn dur y drws. Dydi Saeson ddim yn deall Cymraeg.

Mae'r ymddieithrio eisoes ar droed. Dyma ddechrau marwolaeth yr ysbryd. Ac mae'n gwbl arwyddocaol mai ar ôl i'w phapur ysgrifennu gael ei gymryd oddi arni y digwydda hyn. Yn y gell gosbi ynysig, try'r myfyrdodau a lifai gynt yn ddeallus, effro ac angerddol ar bapur, yn awr yn gyfres o ddychmygion dryslyd a hunllefus am dynged y Cymry.

Amwys yw diweddglo'r gyfrol. Ailadroddir y geiriau 'yma o hyd' deirgwaith, ac ar y naill law, gellid dweud bod hyn yn awgrymu'r syrffed o fodoli ar ddibyn tranc. Ar y llaw arall, fel y gwna cân Dafydd Iwan, gellid haeru bod y geiriau'n mynegi syndod herfeiddiol at ein parhad yn genedl o gwbl. Ond efallai mai ergyd fwyaf yr arwyddair 'yma o hyd', yn y diwedd, yw mai dyna deitl y gyfrol a oroesodd. Y nofel a ysgrifennwyd ar bapur tŷ bach. Y nofel a ysgrifennwyd yn y dyb y câi ei thaflu wedyn.

Mae hi'n glasur bellach – a bron mor amserol heddiw, yn ei darlun o gyflwr cenedl sy'n ymrafael â threfedigaethedd, â phan gyhoeddwyd hi gyntaf, bymtheng mlynedd ar hugain yn ôl, yn 1985.

3.

Rydw i'n ysgrifennu hwn yn wythnos gyntaf mis Mai 2020, ar benllanw (gobeithio) pandemig Covid-19. Mae cyfyngiadau Cloi Mawr y llywodraeth yn weithredol ers chwe wythnos. Mae'r strydoedd a'r ffyrdd yn dawel. Mae siopau, tafarndai a chaffis wedi cau. Felly hefyd yr ysgolion a'r prifysgolion, ac rydw i'n parhau â'm modiwlau, seminarau a darlithoedd trwy ddulliau rhithwir.

Er ei fod yn teimlo felly i'm dau blentyn yn eu harddegau, prin fod hyn yn garchar. Mae'r haul yn tywynnu. Yn groes i rai, mae gennym gartref nad oes arnom ofn bod ynddo. Mae gennym ardd i encilio iddi. Mae gennym archfarchnad gyfagos i brynu bwyd ynddi, a harddwch naturiol Arfon ar garreg y drws lle gallwn wneud ein dogn o ymarfer corff bob dydd. Yn wir, edrychai blodau'r gwanwyn yn harddach nag erioed eleni, bu'r adar yn fwy llafar ac eofn, a'r aer yn lanach am fod llai o drafnidiaeth ar y ffyrdd – ac yn yr awyr. A bu'r tipyn ymwneud, o hyd braich, â'n cymdogion yn fendith.

Eto, mae 'na ias o ofnadwyaeth yn dod weithiau: graddfa'r marwolaethau; consýrn am deulu a ffrindiau; dicter at draha analluog llywodraeth Llundain; pryder am y dyfodol – wedi hyn. Ac mae 'na effaith fwy annelwig i'r cyfyngiadau hefyd. A'r corff wedi cyffio, mae'r meddwl yn crwydro. Trefn yn llacio. Ystyron yn altro. Rhesymau a rhesymeg yn colli gafael arnom, neu efallai ni arnyn nhw.

Bûm yn meddwl am Ngũgĩ, am foethusrwydd yr ymweliad hwnnw ddeuddeng mlynedd yn ôl. Ac nid am Ngũgĩ yn unig. Bûm yn meddwl am y llenorion tramor eraill y cawsom eu cwmni ym Mhrifysgol Bangor, a chymaint o ddealltwriaeth ac o ysbrydoliaeth a ddaeth o'r ymweliadau hynny. Mae llyfrau pob un ohonynt gennyf yn y tŷ. Gallaf ddarllen y rheiny (ac wrth gwrs, gallwn eu lawrlwytho'n electronig pe na baent). Ond mater arall oedd cyfarfod wyneb yn wyneb. Angorai hynny'r berthynas rhyngom mewn man ac amser penodol. Yng ngeirfa'r gyfrol hon, ail-ymgnawdolai'r ymbapuroli. Dôi'r llyfrau wedyn yn fapiau cyfandir ein cyfarfyddiad: Kenya a Chymru, yr Aifft a Chymru, Slofenia a Chymru, Albania a Chymru...

Roedd cael symud yn rhydd ac ymwneud â'n gilydd ar draws ffiniau yn y fath fodd yn rhywbeth a gymerais yn ganiataol ar y pryd. Dim ond o gaethiwed y presennol y gwelaf werth y rhyddid hwnnw. Yr un pryd, mae'r eironi'n eglur, sef mai'r union symudoledd hwnnw, y teithio byd-eang rhwydd, a fu'n gyfrifol am raddfa'r pandemig yn y lle cyntaf.

A ddaw teithio'n anoddach wedi hyn? Y tebyg yw y bydd ymweliadau rhyngwladol o'r fath yn llai cyffredin. Fyddai hynny ddim yn ddiwedd byd. Wedi'r cyfan, bydd y llyfrau'n dal gennym. A bydd yr awyr a anadlwn yn lanach ...

Ond bydd rhywbeth wedi'i golli. Ac efallai mai dyna pam mae'r atgof am y bore unwaith-ac-am-byth hwnnw yn stesion Bangor wedi dod yn ôl yn gryf i darfu arnaf: y plant yn eu slipars yn dilyn Ngũgĩ wa Thiong'o at ei drên. A'r alwad hiraethus wrth i'r trên lithro i'r twnnel – am i Gwgi ddod yn ôl.

Bydd gan bob un ohonom ein hatgofion am y cyfnod hwn, rhai'n eiddo i ni'n bersonol (fy mhleser distaw-bach, er enghraifft, o gael cwmni'r plant yn ddyddiol – cyn iddyn nhw fynd a'n gadael), tra bydd eraill yn bethau a ddaw'n rhan o fytholeg torfol y Coronafeirws. A hwyrach mai'r pennaf o'r rheiny fydd pennod afiach y papur tŷ bach.

Trwy'r cyfryngau cymdeithasol y daeth y delweddau cyntaf atom. Cwsmeriaid mewn archfarchnadoedd yn ne-ddwyrain Lloegr yn gwegian dan fryniau o roliau gwyn, yn cwffio'n llythrennol gerbron silffoedd tri chwarter gwag, yn rhuthro fel teirw dur â'u trolis tuag at y tiliau, ac yn stwffio'r celc papurol i gistiau eu ceir cyn ei miglo hi am adref. A buom yn chwerthin am sbel. Nes i'r haint seicolegol ledu ac i ninnau ddechrau eu hefelychu. Pawb am y gorau'n trio sicrhau ei siâr – sef mwy na'i siâr – o bapur tŷ bach.

Lluosogodd y jôcs ar y cyfryngau. 'Sheer Loonacy!' oedd pennawd *The Sun*, wrth nodi bod gwerthiant papur toiled wedi cynyddu 75% ym mis Mawrth eleni. Ond roedd 'na straeon eraill yn suro'r jôcs. Dyn o Gaint yn gorfoleddu iddo wneud tair mil o bunnoedd mewn dwyawr wrth godi pymtheg punt y paced (chwe rholyn) ar gwsmeriaid. Bargeinwyr ar-lein yn manteisio ar bobl mewn angen. Galwadau desbret gan gartrefi gofal, cartrefi henoed, meithrinfeydd ac ysgolion oedd heb ddim papur yn weddill.

Ceisiodd seicolegwyr, cymdeithasegwyr, economyddion ac eraill eu gorau i esbonio ac i esgusodi'r caswir am ein hunanoldeb. Ofn colli rheolaeth oedd yma, meddent. Ein greddf i warchod teulu. Ysfa gyntefig i gelu ysgarthion. Natur cadwynau cyflenwi. Cyfalafiaeth fyd-eang ar waith... Ac yn y blaen, ac yn y blaen. (Doedd yr un esboniad cweit yn tycio.)

Buan yr ymatebodd y cynhyrchwyr i'r galw newydd. Ond yr un pryd amlygwyd caswir arall, sef bod ein defnydd o bapur tŷ bach, yn y ganrif a thri chwarter ers iddo ddod i fod, wedi mynd yn rhemp. Ar gyfartaledd, mae pob unigolyn yn y gorllewin yn defnyddio rholyn neu ddwy ohono yr wythnos, a chynhyrchir saith biliwn o roliau y flwyddyn yn America'n unig.

Er mwyn cwrdd â'r gofynion hynny, rhaid defnyddio degau o filoedd o goed bob dydd. Mae hyd yn oed papur tŷ bach a ailgylchir – yn sgil prosesau dadincio, trwytho, torri lawr a channu – yn eithriadol drwm ei draul ar gemegion, dŵr ac egni.

Ac nid yw hyn ond yn adlewyrchiad ar ein defnydd o bapur yn gyffredinol. Yn y deugain mlynedd diwethaf, sef ers i gyfrifiaduron ddod i dra-arglwyddiaethu yn y byd cyntaf, yn yr oes 'ddibapur' hon, cynyddodd ein galw amdano dros 400%. A chan nad oes neb yn ei ddogni, na swyddog carchar i'w wahardd, cawn wastraffu papur fel y mynnwn – cyn belled ag y medrwn dalu, a bod adnoddau'r ddaear yn parhau. Aeth ein hagwedd at bapur yn ddibris, a'r gost i'r amgylchedd yn amhrisiadwy.

Papur ar dap. Papur y gallwch dynnu ei goes. Papur di-sôn-amdano. Papur di-ben-draw... Yn sydyn, mae cofio am yr hysbyseb hwnnw o'r 1980au, a'r cŵn bach labradôr yn chwarae mig â phapur toiled Andrex – llathenni ar lathenni ohono, nes nad oedd dim ar ôl ond tiwb cardbord llwyd yn troi'n ei unfan – yn troi arnaf. A chofio'r hogyn bach, ar ei orsedd ddyfrog, a'i drowsus o gwmpas ei draed, a'i lais yn diasbedain wrth iddo weiddi ar ei fam i ymofyn rholyn arall, yn codi ias.

Ar adegau eraill o gyfyngder neu ddryswch mae ysgrifennu wedi bod o gymorth imi ymgyfeirio. Roedd y weithred gorfforol o lunio geiriau mewn inc ar bapur yn fath o sicrwydd bod trefn ac ystyr yn dal i fodoli. Rydw i wedi troi at hynny eto yn ystod y Cloi Mawr. Mae gennyf gyflenwad o bapur glân, gwag wedi'i brynu o'r archfarchnad leol, un y byddai Ngũgĩ a Blodeuwedd ill dau wedi gwneud yn fawr ohono.

Ond mae ysgrifennu'n anodd yng nghyfnod Covid-19. Mae'r geiriau'n gyndyn o lifo. Dydyn nhw ddim yn taro'r nod.

Rydw i wedi ysgrifennu'r paragraffau hyn, er enghraifft, droeon, heb allu bodloni (er mai prin y gwelir ôl y stryffaglio pan gyhoeddir y geiriau'n brint trefnus maes o law). Mae dalennau cyfan o bapur yn cael eu sgrwnsio gennyf a'u pentyrru'n barod i'w rhoi yn y bin ailgylchu. (A byddai rhai'n dadlau bod yr olygfa honno'n gelfyddyd ei hun, mai'n hunanfynegiant mwyaf gonest, mwyaf cydnaws, yn ein byd o ddigon, yw'n gwastraff.)

Ond am yr ysgrifennu ...

Ceisiaf ddadansoddi'r anhawster. Mae'n wir bod y corff wedi cyffio, y meddwl yn crwydro, trefn yn llacio ac ystyron yn altro, rhesymeg yn colli'i gafael arnom, ac yn y blaen, ac yn y blaen. Ond mae'r broblem yn fwy na hynny. Amheuaf erbyn hyn fod y papur ei hun yn fy llyffetheirio. Mae 'na rywbeth anonest, twyllodrus amdano. Yn groes i ddyddiadur Blodeuwedd, dydi'r cyfrwng ddim yn cyfateb i'r neges (beth bynnag fyddai honno, pe gallwn gael hyd i'r geiriau iawn). Dydi'r gwynder glân ddim yn gydnaws â byd y pandemig. Mae'r deunydd crai'n gamarweiniol, yn fy arwain ar gyfeiliorn.

Yn sgil ffiasgo celcio'r papur tŷ bach ym mis Mawrth, dechreuais gadw'r tiwbiau cardbord sydd dros ben o'n rholiau ni – y dim diffiniol sydd yn y canol, fel petai. Gwneud hynny heb feddwl, bron, am mai anodd, yn sydyn, oedd meddwl am eu taflu.

Doeddwn heb ddal gafael ar y rhain ers blynyddoedd, ers pan oedd y plant yn fychan. Ac mae'n siŵr y damcaniaethai'r seicolegwyr mai awydd mynd yn ôl at yr amser hwnnw oedd un cymhelliad dros wneud hynny'n awr, rhyw awydd isymwybodol i ddychwelyd at yr adeg ddeng, ddeuddeng mlynedd yn ôl pan gaem fwynhad wrth greu pethau o'r calonnau cardbord, boed yn angylion neu'n bypedau, yn sbienddrychau neu'n feicroffonau, yn bolion Totem neu'n gracyrs Dolig. Adeg pan beintiem a phan ludem; pan gyd-ddychmygem a phan gyd-chwaraeem. Roedd i bob darn o bapur sgrap ryw iws bryd hynny.

Ceisiais ysgrifennu amdanyn nhw, fy stôr o wrthodedigion llwyd. *Nid hyfryd ceisio'ch gollwng chwi dros go', a'ch lled-ddiarddel, wedi'r cymun maith...* Ond doedd hynny ddim yn tycio chwaith.

Ar y cyfryngau cymdeithasol, sef prif ddull ein hymwneud â'n gilydd ar hyn o bryd, gwelais waith artist o Abertawe, Carys Evans, a dreuliodd yr wythnosau diwethaf yn peintio lluniau adar a blodau ar diwbiau cardbord papur tŷ bach. Maen nhw'n gain i ryfeddu, yn ffurfio rhesaid hyfryd ar oriel ei silff ben tân, yn tyfu dim ond pan fo'r deunydd crai, eu cynfasau dinod, ar gael.

Mae hi'n fy ysbrydoli. Rydw i'n estyn am siswrn ac yn torri llinell syth trwy un tiwb cardbord. Rydw i'n ei agor allan i greu arwyneb gwastad y mae ei ymylon yn crymu dipyn, fel sgrôl. Ac rydw i'n dechrau ysgrifennu arno – myfyrdodau ar bapur tŷ bach.

Protest? Go brin. Ond nid chwarae plant chwaith. Mae'n teimlo'n ystyrlon. O galon lwyd i galon lwyd, mae'r cardbord garw, a'i frychau, a'i asiadau anwastad, a'i stampiau ffatri, yn teimlo'n nes ati, yn fwy cywir, yn fwy cydnaws, na'r papur gwyn glân. Mae'r cyfrwng fel petai'n ennyn y geiriau iawn. Mae 'na deimlad o agosrwydd rhwng gair a'i ymbapuroliad.

Ac mi ddaliaf ati, tra medraf, i drosi'r dim sydd yn y canol yn ddeunydd ysgrifennu. Dim ond nes y bydd hyn i gyd drosodd – a ninnau'n rhydd, o'r diwedd, o'n caethiwed presennol.

Y Lôn Glai

Gaeaf

Mae ei phensaernïaeth yn amlwg heddiw. Mân esgyrn y llwyni du. Plethwaith y cangau. Pelenni coeg afalau derw. Mae'r ffawydd dan Erw Pwll y Glo yn sefyll yn eu noethni, eu boncyffion praff yn llyfn ac arian yn yr haul oer.

Mae hi'n dal i 'nghymryd i mewn, berfeddion gaeaf, er bod y gwrychoedd yn gyndyn, ei chnawd deiliog yn dal yn ôl. Mae hi'n fy nabod bellach, yn gwybod nad ydw i'n disgwyl dim yr adeg hyn ond ei bod yna.

Mae'r bwncath yn gwarchod ar y polyn, yn fy nghydnabod â phlwc yn ei war. Cerddaf yn fy mlaen heb betruso, trwy'r seibiau yng ngalwadau'r adar a phesychiad y brain o'r gwrych.

Mae dwndwr afon Saint yn codi dros grib dibyn y cae, o'r gwaelodion anweledig, yn cynyddu yn y corff. Mae hi'n llifo'n groes i mi ac yn fy nghyflyru. Mi gaf gip arni cyn hir, ymhen canllath neu ddau, islaw, rhwng brigau'r coed, yn fyrbwyll a throchionog, yn hyrddiadau o oleuni gwyn ac arian ar ei llithriad tua'r aber.

Cyflymaf fy ngham. Mae fy synhwyrau'n meinhau. Mae'r hen rythm yn dod yn ôl ac mae hithau, y Lôn Glai, yn ymlacio. Daw popeth yn eglur. Mae 'na rai pethau yn eu helfen, Ionawr neu beidio. Mwsog yn drwch emrallt dan draed. Y gwair ym môn y gwrych yn glustog disglair. Dail y geiniog, wedi bwrw'u gwyleidd-dra cyn y Nadolig, yn lledu'n ddigywilydd erbyn hyn, yn gnawdol wyrdd. Coronau perlog, lliw leim yr eiddew. Lluserni'r eithin, yn goleuo fesul un ac un wrth i mi dreiddio'n ddyfnach, heibio Raden, heibio Glanyrafon, ymlaen at y tro hwnnw'n y ffordd lle mae'r gwrych yn stopio'n sydyn, lle mae godreon Eryri'n tynnu'n ôl, lle mae cramen y ddaear yn codi...

A dyna orsedd saffir yr Wyddfa – yn gnawd ac ysbryd mewn maen!

Anodd ydi peidio oedi. Mae'n anodd credu. Dwi'n ei nabod erioed ac mae'n dal i'm synnu.

Ond mae'r lôn yn tynnu ymlaen a'r gogoniannau'n para. Heibio Llwyn Bedw lle mae'r ddafad feichiog yn penlinio'n y cae, y twrch yn torri cwysi, yr ysgall yn dal eu tir, y crawiau'n moesymgrymu. Heibio'r ffrâm grychlyd o fonion eithin sy'n creu'r ffenest rhwng fy nwy ysgol, y naill tua'r môr, y llall tua'r mynydd. Heibio'r giât mochyn. Ymlaen at Erw Fforch a phen draw'r lôn lle trof yn ôl arnaf fy hun heb feddwl.

Mae'r daith yn ôl yn llwyr wahanol. Yr un wythïen ar wrthdro. Heibio Fforch yr Erw a Bedw'r Llwyn, yn unllif â'r afon, dan lithro tua'r aber. Nid ad-fyw ydi hyn ond ianws o ddrych yn troi ar ei echel.

Mae goleuni dur y môr yn galw arnaf. Yr Eifl yn ymborffori. Y Lôn Glai'n gwisgo'i choban sidan. A'r cyfnos indigo'n cau amdanom.

* * *

Gwanwyn a haf

Hi sy'n galw tro'ma. Mae'n fy nhynnu ati. A 'nghefn at gapel Nazareth, camaf yn betrus iddi. Ofnaf iddi fy siomi.

Ond mae'r atgyfodiad eisoes ar droed, ac mae i'w deimlo cyn cyrraedd. Llygedyn o adduned yn bachu fy ngweld. Lliw anweledig llun sydd i ddod. Ymwybyddiaeth euraid.

A bron nad ydw i'n gwylio'r esgor, dadlapio distaw a phenderfynol y melyn caeth. Un, dau, tri... naw o betalau'n amgylchynu haul. A'r geni'n digwydd ar liain o galonnau.

Llygad Ebrill. Genedigaeth y gwanwyn ar lin y Lôn Glai.

Camaf ymlaen ac maen nhw'n codi o'r gwair yn eu cannoedd, yn ymwthio o'r waliau, yn chwarae mig rhwng y gweiriach. Does dim gweld nad ydyn nhw yma. Galaeth o heuliau. Cawod o aur, yn tasgu o'r ddaear i fyny.

A dychwelaf drannoeth, drennydd at galeidosgop y Grawys, traws-sylweddiad y gwrychoedd llonydd. Y briallu hufenwyn. Melynwy ffa'r ieir. Glesni'r fioled. Coch cardinal y pys llygod. A gwyn glanwaith y botwm crys yn ymwasgu ar fynwes yr haf.

Mae 'na wawriau o wyrdd na fedyddiwyd erioed mohonynt, y rhedyn twrmalîn, y danadl ferdigris, y cynghafan opal. A thrwy'r cyfan, yn drimin lês, mae eira'r gorthyfail, a drain priodasol y Pasg.

Dwi'n feddw gan wanwyn. Yn methu mynd ymlaen, yn methu peidio mynd ymlaen, a'r chwant am lystyfiant yn fy ngyrru. Hen oglau pridd newydd. Cynefin ffurf. Cyffur y cloroffil. A'r lliwiau – maen nhw'n fy nallu, mae mor hawdd baglu. Cleisiau clychau'r gog ar ystlysoedd y perthi. Bysedd y cŵn yn archollion gwaed. Tarddiant blodau taranau...

Ymgollaf ynddi. Af ar goll ynddi. Mae'n anodd ymwahaniaethu. Raden, Glanyrafon, mae'r arwyddion yn ymdoddi.

Yn sydyn, mae 'na fref yn fy sobri. Yng nghaeau Llwyn Bedw mae'r ŵyn yn ffroeni'r ffiniau, eu cnu croeshoeliedig yn creu arwyddluniau'n y gwynt. A'r mamogiaid yn syllu o hirbell – ar derfyn arall yr haf.

Mae'r gwrychoedd yn tewychu. Ar y ffordd o Erw Fforch mae'r gollen, y wernen, yr ysgawen, y gerddinen yn ymblethu i'w gilydd, yn codi ymaith. Ffarweliaf â glaslancesi herfeiddiol yr haf.

Ond mae'r afon, er yn dawel, yn dal i iro'r dod yn ôl.
Af adref drwy'r haul hirdrem.

* * *

Haf bach

Mae'r blodau'n syrthio. Mae'r mieri'n barod, y bochau tyn yn ymchwyddo, yn glasu yn haul tyner mis Medi.

Daeth yn adeg profi ffrwyth y Lôn Glai. Mae fy nwylo'n cropian dros y gwrychoedd, yn mynnu'i haelioni, yn rhwygo'r daioni du oddi ar y cangau porffor. Sudd wedi ymgnawdoli. Mae i bob mwyaren ei rhin, ei gradd ei hun o'r sur a'r pêr, ac maen nhw'n gwefru'r dafod, yn hel y glafoer glas i gil y geg. Maen nhw'n gyforiog yma, rhwng y mes a'r egroes, yn diferyd yn sypiau ym mherllan rad cefn gwlad.

Mae fy nhad yma efo mi. Amser hel mwyar ydi'n hamser ni. Mae o'n astud, ei ddwylo blêr yn dod i drefn yn y drysni, y cof am y crwst aur yn ei yrru. Ac mae o'n feistr arni, yn ennyn y ffrwythau â gogwydd ei fysedd, ac yn eu gollwng, gledraid wrth gledraid, i'w botyn pridd.

O'r berth gyferbyn, lle'r ydw i wrthi, teimlaf fy nhad yn ymfodloni, o'r diwedd yn ymdawelu. Dim ond y ffrwyth sy'n bodoli. Y Lôn Glai. Ei anadlu.

Tra pery'r mwyar mi fydd o'n gwmni imi.

Daliaf y foment. Ei gefn mawr gyferbyn â mi, y rhych ar ei war, ei ên wedi'i dyrchafu at y cangau anghyraeddadwy. Dim ond led y Lôn Glai oddi wrthyf i... A phe dôi'r cloddiau'n nes, gallwn dy gyrraedd di, Dad, heb darfu. Gallem gydanadlu, cydgynaeafu, unwaith eto eleni.

Ond mae mwy na ni yma. Mae'r gwenoliaid yn hel at ei gilydd ar y llinell ddu. A'r cnwd yn friw yn y potyn pridd, yr inc yn y gwaelod yn cronni.

Ias hyll diwedd Medi. Y dydd y daw'r Diafol i boeri.

A'r Lôn Glai? Fedra i ddim maddau ei chynhaeaf iddi, na'r bwlch rhwng ei deuglawdd hi.

Trof fy nghefn arni.

* * *

Hydref

Mae hi'n blino. Mae hi'n crino. Mae'r ceir yn ei defnyddio. *Short cut* y lôn glau. Mae bag bin wedi'i daflu wrth Erw Pwll y Glo a'r sbwriel yn cyfogi ohono. Caniau Red Bull. Caniau Coke. Caniau cwrw Carling a Bud. Papurach amryliw. Plastigion yn dianc yn haid o adar di-blu, yn mynd i nythu ac erthylu rhwng y danadl poethion, yn mynd i glwydo ar y drain.

Mae'r lle fel parti Jiwbilî ac mae 'nghalon yn gwaedu. Maen nhw wedi'i pheintio a'i choluro hi. Cardbord sgarlad McDonalds. Bagiau creision pinc. Papur bisgedi. Polystyren. Cwpanau coffi a *frisbees* eu caeadau ar chwâl. Mae tuniau wedi'u taflu'n fodrwyau ar ei bysedd hi, ffoil yn hongian o'i chlustiau hi. Poteli gwin a photeli cwrw wedi'u lluchio fel mwclis drosti hi. Ac mae 'na fwy o offrymau na hynny. Mae 'na hen gyrtans carpiog am ei hysgwyddau hi. Hen deganau babi yn ei cheseiliau hi. Hen fatres wely ar ei phen hi. Drws hen bopty'n gwanu'i pherfeddion hi.

Ac yn y caeau mae plastig y big bêls yn rhacs ar y ffensys, yn chwifio fel bynting du.

Mae wedi dod i hyn. Dwi'n trio'i thacluso. Trio'i thrwsio. Hi o bawb. Ond mae hi'n crebachu. Yn tynnu'n ôl – o gywilydd – a wela' i ddim bai arni. Mae hyd yn oed y brain yn tewi, a'r bwncath... mae'r bwncath wedi diflannu.

Dim ond y defaid sy'n dal yr un fath. Yn syllu. Yn pori. I gyfeiliant y gwynt a chlapio'r bynting du.

Mae'n cymuno'n anodd dan wylfa ddiddiwedd hofrenyddion Eryri a swnian awyrennau'r Fali. A'r ffordd osgoi newydd – mae honno erbyn hyn yn ei sgimio hi.

Mae'r Lôn Glai'n gwywo. Dw innau'n ffieiddio – at fy hil fy hun. Yn anobeithio. Yn trio'i hanghofio.

* * *

Ond fedra' i ddim bod hebddi. Mae'n rhaid i mi wrthi.

Sul cyntaf y mis du. Mae'r niwl yn gyrru iasau trwy'r esgyrn, ei gusanau'n marw ar y croen.

Byd o gysgodion. Does dim awyr i'w weld. Dim daear. Dim môr. Dim mynydd. Dim i'w glywed ond sibrwd cas y distawrwydd. Dim i'w deimlo ond aer yn halltu'r ysgyfaint. Dim byd – ond fi a 'nhipyn ffydd, a'r niwl sy'n ein fferru.

Gwn fod mwy i ddod, y tu hwnt i'r llysnafedd llwyd. Mae'n rhaid bod. Dychmygaf fy ffordd tuag ati. Mae gen i weddi.

Oglau pridd sy'n dod gyntaf. Oglau plisgyn cnau. Tinc o hen wyddfid. Yna: pelydr o gynhesrwydd. Estynnaf fy llaw at y gwres. Yn y pellter mae un llygedyn, un marworyn oren.

Rhoddaf fy mys yn y tân, tynnu'i ymyl yn ôl, a dringo iddo.

A chael fy hun, yn syn, yng ngwisgfa'r hydref! Siandelîrs y criafol uwch fy mhen. Gemwaith mis Tachwedd ar waith ffiligri'r drain. Rhuddemau'r ddraenen. Dafnau lapis laswli'r eirin perthi.

Gwe pry cop a'i lond o berlau glaw. Sidan dail derw, brethyn y rhedyn, melfed cen. A'r adar bach – maen nhw i gyd wrthi'n pwytho. Y llinos a'r nico'n deilwriaid. Y sigl-di-gwt yn brodio ag edau'r gwair a nodwyddau brwyn.

Gwisgaf eu gwaith amdanaf, yn ŵn o liw gwaed y Lôn Glai. Ac mae'i godre llaes yn llusgo'r lliwiau ar ei hôl, pob cam yn peintio'r cloddiau'n gopor, yn ocr, yn ambr, yn aur. Yn fy amdo o amser, hudaf yr hydref i fod.

Cerddaf a chreaf. Mae'r niwl yn gwasgaru, y mwsog dan draed yn lledu. Daw enwau'r ffermydd ataf a phylu. Does dim ots am yr Wyddfa heddiw, na Chefn Du, na'r defaid, na'r giât mochyn, na'r ffenest o fonion eithin, a phan ddof at Erw Fforch, trof yn f'ôl heb oedi. Dim ond fi a'r Lôn Glai sy'n cyfri, y symud hyd-ddi. Un ysbryd, un cnawd ydym ni.

Ac mae deall hyn yn fy llorio: *Mi ges fyw drwy dy dymhorau di.*

Yna, rhwng Llwyn Bedw a Raden, mae popeth yn arafu.

Dan y gorwel lledaenol, gwelaf ddrych o oleuni ar fôr Iwerddon.

Camaf i'r llathau olaf. Mae'r Eifl yn diflannu. Yr hydref yn gaeafu. Yr ochr draw i Erw Pwll y Glo daw'r ddeuglawdd at ei gilydd y tu ôl i mi. Mae'r Lôn Glai'n cau ei dwy amrant hardd amdanaf i.

Gwyn fy myd, a 'nhipyn lôn. Bu hon yn bopeth i mi. Yn nef a daear ar lawr Arfon. Yn ddarn o wyrth rhwng dau wrych.

Cyhoeddwyd rhai o'r ysgrifau gwreiddiol yn y mannau canlynol:

'Mynydd Tynybraich', *Y Mynydd Hwn* (Gwasg Gomer, 2005)
'Ymbapuroli', *Taliesin*, 140 (Haf 2010)
'Swnllyd', *Taliesin*, 147 (Gaeaf 2012)
'Rhoi a Rhoi', *Taliesin*, 153 (Hydref 2014)
'Annweledig', *Taliesin*, 155 (Haf 2015)
'Ar Blyg y Map', *O'r Pedwar Gwynt* (Gaeaf 2016)
'Caergybi 2017', *O'r Pedwar Gwynt* (Haf 2017)
'Mae Karl Marx yn 200 oed', *O'r Pedwar Gwynt* (Haf 2018)
'Bara Berlin yn Sling', *O'r Pedwar Gwynt* (Gaeaf 2019)